KB012169

온라인 게임의 신부는
여자아이가 아니라고
생각한 거야?
Lv. 7
eko shibai
ㅣ네코 시바이 지음
ㅣ:Hisasi

현실 세계의 고쇼인 쿄우
기모노를 차려입으면 왠지
야쿠자 아내처럼 되어버리는 중과금충 아가씨.
남친을 갖고 싶다고까지는 말하지 않겠다!
적어도 결혼하고 싶다!
……응?
현실 세계의
아키야마 나나코
기모노를 입어도 역시 리얼충 오라가
풍기는 아키야마. 소원은 세계
……가 아니라 우리 반의 평화입니다.
아키야마 나나코
/세테
고쇼인 쿄우
/애플리코트

현실 세계의
니시무라 히데키
귀가부&취미는 게임인
오픈 오타쿠라는
꽤나 자주 보이는 너희 같은 녀석.
소원은 아코의 것과 상쇄처리.
현실 세계의
세가와 아카네
친구의 어린 시절 기모노도
잘 어울리는 계열인
트윈테일 로리 속성 숨은 오타쿠.
소원은 속물적이게도 레어 드롭.
니시무라
히데키
/루시안
현실 세계의 타마키 아코
온라인 게임과 현실을 구별하지 못하는
커뮤니케이션 장애 외톨이 걸.
소원은 새해 첫날밤. 새해 첫날밤.
타마키 아코
/아코
세가와 아카네
/슈바인

생글생글
창업도 생각하시는지?
"즉, 최종적으로는 독립, 씨익."
현실세계의 사이토 선생님
어쩌면 : 명함 카드캡터.
젊고 붙임성 좋고
직업도 견실함.
흠 잡을 데 없는
신붓감이다냐.
사이토 유이
/고양이공주
만날 수 있다! JK(여고생)와 JK(여교사)가 참가하는 오타쿠 결혼활동

"죄송해요,
바로 비킬게요."
"……어, 저기,
에에엑?!"

온라인에서의 아코
아, 전 이미 결혼했으니까요…… 라며
유부녀의 여유를 보이고 있는
외모 지상주의의 클레릭(♀).
온라인에서의 루시안
방어구 지상주의인 아머 나이트(♂).
고양이공주 씨가 결혼하는 것에 미묘한 심정?
아니아니아니! 나한테는 아코가 있거든요!
온라인에서의 슈바인
이런 자리에서는 가장 신나게 날뛰는
화력 지상주의의 소드 댄서(♂).
(`・ω・´)스매~시!!
Lv97 HP/20949 MP/765
Name Rusian
Job Armor Knight
Sex Male
Atk/83+238 Mat/35+49
Def/130+250 Mdf/74+5
Lv88 HP/6210 MP/1724
Name Ako
Job Cleric
Sex Female?
Atk/49+90 Mat/152+0
Def/73+24 Mdf/126+18
Lv90 HP/14220 MP/476
Name Schwein
Job Sword Dancer
Sex Male?
Atk/141+281 Mat/13+56
Def/79+151 Mdf/39+21
Lv96 HP/15312 MP/5946
Name Apricot
Job Law Wizzard
Sex Male?
Atk/73+150 Mat/493+395
Def/86+278 Mdf/262+105

쟁취하라!
고양이공주 씨 결혼 상대
쟁탈대회!!
온라인에서의 고양이공주 님
아이돌(웃음)에서 졸업해서
평범한 여자아이로 돌아갈 거다냐…….
라고 말하고 있습니다만, 결국은
우승상품이 되고 말았습니다.
온라인에서의 애플리코트
과금 지상주의인 마법사(♂).
그 눈에 깃든 결의는
멤버를 얻기 위함인가,
아니면……?
온라인에서의 세테
버려두고 가려고 해도 그렇게는 안 돼!
라는 가벼운 참가주의의 서머너(♀).
정보통인 그녀, 이번에는 중계로 대활약.
Lv50 HP/3741 MP/774
Name Sette
Job Summoner
Sex Female?
Atk/73+132 Mat/103+160
Def/36+161 Mdf/59+19
Lv95 HP/20004 MP/2219
Name Nekohime
Job Cardinal
Sex Female?
Atk/42+93 Mat/232+223
Def/93+67 Mdf/161+25
세테

# CONTENTS

And you thought there is Never a girl online?

DESIGNED BY AFTERGROW

# 온라인 게임의 신부는 여자아이가 아니라고 생각한 거야?

키네코 시바이 지음

Hisasi 일러스트

이경인 옮김

Lv. 7

And you thought there is Never a girl online?

# 프롤로그

## 리얼 어택

모두와 현실에서 만나게 된지 상당한 시간이 흐른 것 같다.

현실에서 루시안이라고 불리는 건 아직 부끄럽긴 하지만 말이지.

그렇지만 요즘에는 오프 모임도 주류가 되었고, 현실에서 닉네임을 부르는 관계도 그리 드물지 않게 되었다고 한다.

게임 말고도 인터넷에서의 만남은 무척 많으니까.

다만 역시 한계가 있는지라, 온라인을 통한 관계를 들먹일 수 없는 자리도 있지.

예를 들자면, 이런 이야기를 들은 적이 있다.

◆카나타 : 얼마 전에 현실에서 결혼식이 있었어.

◆루시안 : 뭐라고요?! LA 최고의 독신귀족이라 불린 카나타 씨가 결혼?!

마을에서 잡담을 나누던 친구가 그런 소리를 하더라고.

독신귀족을 구가하던 사람이었으니까 설마 했지.

◆카나타 : 아니, 내가 아니라 친구.

◆루시안 : 아아, 어쩐지.

자기 결혼식이 아니었다고 하더라. 다행이군, 다행이야.

아니, 다행은 아닌가?

◆루시안 : 아무튼 축하합니다.

◆카나타 : 축하할 일이긴 한데, 좋기만 한 것도 아니었어.

카나타 씨는 꽤나 껄끄러운 표정으로 식은땀 모션까지 취했다.

◆카나타 : 결혼식이라는 게, 온라인 게임 친구의 현실 결혼식이었거든.

◆루시안 : ……온라인 게임 친구의 현실 결혼식? 거기에 간 겁니까?

◆카나타 : 초대받았으니까 갔지.

지, 진짜? 온라인 게임 동료의 현실 결혼식에 불려가기도 하는구나.

확실히 현실에서도 사이가 좋다면 초대를 받기도 하지만.

◆루시안 : 무슨 상황이었는데요?

◆카나타 : 그게 참, 심했어. 잠깐 상상해봐.

상상해보라고 하면 어려운데.

◆카나타 : 결혼식장에 들어가니 한쪽에 온라인 게임 동료들이 앉는 테이블이 있더라고.

흠흠, 그야 그렇겠지.

◆카나타 : 그리고 주변에는 항상 같이 온라인 게임을 하는 동료들이 앉아있고.

응응. 앉아있겠지.

◆카나타 : 각자 자리 앞에, 처음 보는 본명이 적힌 플레이

트가 준비되어 있더라니까.

오, 오오우…….

◆루시안 : ……본명 네임 플레이트가 있었던 겁니까.

◆카나타 : 결혼식이니까, 그야 있지.

하긴, 현실 결혼식이니까 현실 이름으로 초대한 거겠지.

여태껏 한 번도 부르지 않았던 본명이 적혀 있는 거다.

◆카나타 : 그리고 서로의 네임 플레이트를 힐끔힐끔 보면서 아, 안녕하세요. 오랜만입니다, 마에다 씨였군요, 하하하…… 같은 미묘한 대화를 하는 처지가 됐다니까.

◆루시안 : 우와아.

◆카나타 : 게다가 섣불리 게임 이야기나 캐릭명 같은 걸 꺼내기 힘드니까 몇 년이나 같이 게임한 동료인데 깜짝 놀랄 정도로 조심조심 대화를 하는 처지가…….

◆루시안 : 빡세네요. 그거.

처음 부르는 본명으로, 마치 보통 현실 친구 같은 대화를 해야만 했다는 건가.

게다가 캐릭명은 절대로 입밖에 내면 안 되는…… 생각한 것만으로도 오한이 드는 이벤트다.

◆카나타 : 그래도 노력해서 어떻게든 무사히 결혼식이 끝나가려던 타이밍에, 한 명이 실수를 저질렀어.

◆루시안 : 해버린 겁니까.

◆카나타 : 응. 마지막의 마지막, 신랑신부의 배웅을 받으며

결혼식장을 떠나는 마지막에 말해버렸다고. 『밀크 씨, 골리아스 씨랑 잘 지내세요!』라고, 큰 소리로…….

◆루시안 : ……캐릭명이었나요?

◆카나타 : 응. 연유 밀크 씨랑 골리아스무니 씨의 결혼식이었어…….

◆루시안 : 어느 쪽도 부르기 빡세네요!

온라인 게임에서 이름을 지을 때는 깊이 생각하지 않을 때가 많지만, 그렇다고 해도 남들 앞에서는 부르기 힘든 이름이구만! 이래서야 분위기가 참, 엄청나게 얼어붙었겠네.

◆카나타 : 그날 이후 친한 사람들 중에서 결혼하는 녀석은 온라인 게임이랑 현실이랑 자리를 구분하는 게 규칙이 되었어.

지당하십니다.

섞었다간 위험해. 게임과 현실은 다릅니다.

◆루시안 : ……그런데 왜 그런 이야기를?

◆카나타 : 내일 길원 결혼식에 가거든.

◆루시안 : …….

내가 침묵하자 카나타 씨는 아련한 눈빛으로 말했다.

◆카나타 : 현실 관계자랑 온라인 게임 관계자가 같이 있는 결혼식에 또 가는 거야…….

◆루시안 : 어째서 그런 일이…….

◆카나타 : 정말, 어째서 이렇게 된 건지…….

어째서 사람은 비극을 반복하는 것인가.

남 일이긴 하지만, 나까지 분한 마음으로 가득했다.

◆카나타 : 루시안은 내 죽음을 헛되게 하지 말아줘.

루시안 : 네. 선생님……!

나는 사지(死地)로 향하는 카나타 씨를 눈물을 머금고 배웅했다.

◆루시안 : ……이런 일이 있었어.

◆아코 : 아, 네.

◆루시안 : …….

◆아코 : …….

침묵.

어라. 왜 침묵?

그렇게 재미없는 이야기였나?

내가 코미디언은 아니지만, 썰렁한 이야기를 했을 때 같은 분위기가 퍼져서 조금 당황했다.

◆아코 : 저기, 루시안.

그때, 겨우 아코가 채팅을 쳤다.

◆아코 : 그, 그래서, 다음은요?

◆루시안 : ……다음?

다음이라니 뭔 소리?

◆루시안 : 다음이고 뭐고, 이걸로 끝인데?

그래서, 결말은? 같은 소리를 하다니.

하지만 아코는 납득하지 않은 건지 고개를 붕붕, 크게 내저었다.

◆아코 : 거짓말이에요! 분명 있을 거예요! 이걸 교훈 삼아 아코 너도 앞으로 친구를 만들어라~ 같은 이야기가!

◆루시안 : 그냥 잡담이야. 왜 내가 아코한테 교훈을 가르쳐줘야 하는 건데?

◆아코 : 언제나 그랬었잖아요.

◆루시안 : 그 무슨 실례 되는 소리를. 그런 일은 없……는데?

그렇지 않다니까? 나는 그런 소리 한 적 없어.

없어. 없지? ……있었던가? 있었을지도. 있었다면 미안.

◆루시안 : 어, 어어, 그럼 이걸 교훈으로 치고, 나랑 아코의 결혼식을 현실과 온라인 게임 쪽으로 나눈다고 해보자.

◆아코 : 네.

◆루시안 : 온라인 게임 쪽은 넘어가자. 와 줄 사람 엄청 많을 테니까.

◆아코 : 저는 별로 없을 것 같은데요.

아코가 불안한 듯이 말했다.

하지만 별로, 라고 말할 정도면 충분해.

◆루시안 : 그럼 현실 결혼식은 누가 올 거라 생각해?

◆아코 : 어, 어어…… 아빠랑 엄마요.

◆루시안 : 내 경우는 더해서 여동생인가…….

◆아코 : 앗, 할머니도 와주실 거라 생각해요!

그러냐. 그거 잘 됐네.

◆루시안 : ………….

◆아코 : …………이상이에요.

◆루시안 : ……그렇지?

이렇다니까.

별로, 가 아니라 전혀 없단 말이지.

나 역시 결혼식에 부르면 기뻐하며 와줄 친구가 있나 생각해보면, 다들 캐릭명 쪽이 더 익숙하다.

◆루시안 : 봐봐. 생각해봐야 괴로워질 뿐이잖아.

◆아코 : 우우우, 그러네요…….

그러니까 이 이야기에 교훈은 없다.

있는 건 슬픈 현실뿐이다.

◆아코 : 역시 전 현실 결혼식은 하고 싶지 않아요. 게임 속에서만 하고 끝내자고요.

그런 슬픈 소리를 진심으로 하다니, 마음은 알겠지만.

◆아코 : 천 엔 코스든 2천 엔 코스든 상관없는데요?

◆루시안 : 변함없이 돈 안 드는 신부구나, 아코…….

LA의 결혼에 유료 코스는 없지만.

◆루시안 : 결혼식에 부르고 싶은 사람이라…….

앞으로의 인생에서 그런 상대가 생길까?

솔직히 말해서 희망이 없다는 기분이 들었다.

◆아코 : 앗, 좋은 생각이 떠올랐어요!

딩동 하고 머리 위에 전구를 띄운 아코가 말했다.

◆아코 : 현실 결혼식도 게임 속에서 하는 거예요! 아빠도 엄마도 캐릭터를 만들라고 하고요! 그러면 분명 엄청 사람이 와줄 거예요!

◆루시안 : 다른 의미로 부모님이 오열하실 테니까 그만둬!

이런 바보 같은 이야기를 하던 때의 나는 결혼 같은 건 아직 먼 미래의 이야기라고 생각했었다.

고등학생인 나에게는 아직 먼 이야기라고, 그렇게 생각하고 있었다.

1장
결혼오화완상 호활티어
And you thought there is Never a girl online?

잔다는 건 정말로 편한 변명이라고 생각해.

예를 들면, 읽는 게 좀 귀찮아져서 라인 문자를 보지 않고 무시했을 때 미안, 자고 있었어~, 라고 변명하는 경우가 있지?

친한 친구가 없는 쉬는 시간에는 자는 척을 하고, 대화에 섞이지 못해서 묵묵하게 있을 때도 수면 부족이라는 변명으로 도망치고.

단순히 AFK를 했을 뿐인데도 잠깐 졸았다고 말할 수 있고, 슬슬 로그아웃하고 싶다고 생각했을 때 졸리지 않은데도 잘 거라고 할 수 있으니까.

잔다는 소리는 언제나 우리의 아군, 최강의 변명이다.

◆루시안 : 그런고로, 가족끼리 새해를 맞이하자는 부모님한테 「미안, 졸려」라는 한 마디로 승리한 나는 이렇게 로그인을 할 수 있게 되었다는 소리야.

씨익, 하고 가슴을 편 나에게 쌀쌀맞은 눈초리가 쏟아졌다.

◆슈바인 : 그래서 잔다고 말한 주제에 일어나있다는 거냐. 최악의 남자구만.

◆애플리코트 : 부모님께 거짓말을 하다니…… 이 얼마나

악랄한가…….

◆세테 : 루시안 너무해~.

◆루시안 : 무슨 소리야. 이렇게라도 하지 않으면 연말에 온라인 게임 같은 건 못한다고.

왜냐하면 오늘은 12월 31일. 올해 마지막 날이라고, 올해 마지막 날.

가족끼리 테이블에 둘러앉아 담소를 하는 걸 흘끗 바라보며 나만 방에 틀어박혀서 온라인 게임을 하다니, 어지간한 이유가 없는 한 불가능하다.

거기서 승리한 이유가 바로 최강의 변명인 『졸리니까 잔다』다.

이걸 꺼내면 대부분의 전투에서 벗어날 수 있다.

방으로 돌아가는 나를 여동생이 쓴웃음을 지으며 바라보긴 했지만.

◆슈바인 : 나 참, 그냥 졸리다고 하다니 물러 터졌어. 나처럼 방에 불을 끄고 거의 무음으로 키보드를 치는 것 정도는 하란 말이야.

◆루시안 : 너도 자는 척 하고 있잖아.

◆슈바인 : 그렇게 하지 않으면 못 도망치잖아.

슈도 마찬가지인 모양이다.

하긴, 마지막 날에 방에 틀어박혀 있으면 불려나가니까.

◆루시안 : 뭐, 무사히 2층으로 도망친 이상 내 승리는 흔

들리지 않아.

◆슈바인 : 우리 집은 맨션이니까 1층 2층 같은 구별이 없단 말이다. 부모님이 화장실에 갈 때마다 손을 멈추는 마음을 네가 알아? 아아앙?

◆애플리코트 : 그렇게까지 거북하다면 그냥 가족과 함께 보내는 편이 나을 것 같다만.

이런 부분에서는 상식파인 마스터가 식은땀을 흘렸다.

말은 그렇게 하지만 여기서 나갈 수는 없잖아.

새해 이벤트라고, 새해 이벤트.

◆아코 : 애초에 제가 함께 있지 않은데 가족 모두라는 건 이상하다고 생각해요. 저랑 루시안이 핵가족이고, 부모님은 확대가족이라고요.

거기서 아군인 아코가 나를 옹호해줬다…… 옹호? 이거 옹호인가?

왠지 교과서에 적혀있던 단어 같은데?

◆루시안 : 아아, 저번 기말고사 범위였나? 아직 기억하고 있었구나. 대단한걸.

◆슈바인 : ……거기가 칭찬할 포인트냐.

칭찬할 포인트야. 당연한 거 아니냐!

이렇게 칭찬해서 키워가며 아코의 장래를 제대로 만들어 주지 않으면 나까지 함께 거꾸러지게 될 테니까!

◆세테 : 부모님은 졸리다는 말에 약하구나. 빨리 잔다고

하면 대부분은 넘어가는 느낌이니까.

◆애플리코트 : 그건 세테가 사랑받고 있다는 증거겠지.

마스터가 웃으며 음음, 하고 끄덕였다.

◆애플리코트 : 어린 시절부터 아이의 수면시간을 소중히 했기 때문에 지금도 잔다는 아이에게 강하게 나서지 못하는 거다. 사랑이 있기 때문인 거지.

◆루시안 : 윽…….

◆슈바인 : 으그극.

그렇게 말하면 마음이 아프다.

새해가 오면 감사인사라도 할까…… 아버지, 어머니 고마워요.

◆루시안 : 마스터는 자라는 말 많이 들었어?

◆애플리코트 : 솔직히 파티 도중에 꾸벅꾸벅 졸기라도 하면 무슨 질책을 들을지 모르겠군.

우리가 모르는 세계에서 고생하는 모양이었다.

◆아코 : ……방에서 게임이나 하라는 말을 엄마한테 듣는 저는 대체 어떻게 해야 하죠?

여기도 내가 모르는 세계가 있었어!

아코네 어머니, 딸한테 대체 무슨 소리야!

◆루시안 : 아코네 가정도 꽤나 특수하네…….

방임주의인지, 딸의 희망을 들어주는 건지 잘 모르겠다.

자세한 이야기는 그다지 듣지 못했지만.

◆아코 : 상관은 없지만요. 원래부터 그럴 생각이었고……
같이 있어도 왠지 소외감 느껴지고…….

◆슈바인 : ……아코네 집. 대체 어떻게 돌아가는 거야? 괜찮아?

슈가 세가와로 돌아가서 조심조심 물어봤다.

울타리가 꽤나 내려갔다고나 할까, 요즘 원래대로 돌아가는 경우가 많네.

◆루시안 : 으음, 크리스마스 때 아코네 가족과 같이 식사를 한다는, 약간 고문 같은 이벤트가 있었는데.

◆슈바인 : 내가 모르는 사이에 재미난 짓을 하네. 너희들.

재미있었는지는 넘어가고.

◆루시안 : 뭐랄까, 그게…… 아코네 아버지랑 어머니가 너무 사이가 좋다고나 할까…….

◆슈바인 : 아코는 부모님하고 사이가 나빠?

◆루시안 : 그런 게 아니라. 단지 부부끼리 사이가 너무 좋아서 옆에 있기 불편하다는 느낌?

잠자코 듣고 있으니까 부부의 에피소드 토크 같은 게 시작되더라니까.

그걸 귀 기울여 듣고 있다 보니 이야기가 거슬러 올라가서 처음 만난 무렵의 이야기부터 시작되질 않나.

게다가 엄청나게 닭살 돋는 러브러브 토크였어.

아마 자주 있는 일이었겠지. 아코가 죽은 눈을 하고 있었으니까.

◆세테 : 재미있는 집이네, 응…….

그렇게 말하면서 착실히 로그인을 하고 있는 걸 보면, 세테 씨도 꽤나 오염된 게 아닌가 싶은데 말이죠.

◆애플리코트 : 그러고 보니 세테네 가족은 괜찮나?

◆세테 : 이제 곧 열두 시인데? 다들 자고 있어~.

저런 집도 있구나. 취침시간이 빠른 가정.

이벤트는 가정에 따라 다르단 말이지.

하지만 우리가 도전하는 이벤트는 이거다.

▶레전더리 에이지를 플레이하고 계신 여러분◀

▶올해도 레전더리 에이지를 향한 따스한 애정에 정말 감사드립니다.◀

▶잠시 뒤 새해를 맞이하는 카운트다운을 진행하겠습니다.◀

어이쿠, 기다리고 기다리던 안내가 나왔다!

◆루시안 : 자, 왔다!

◆슈바인 : 준비는 됐지?

◆애플리코트 : 언제라도 와라.

◆아코 : 길고양이 파이팅!

◆세테 : 오—!

우리는 기합을 다지며 그때를 기다렸다.

▶ 3 ◀

▶ 2 ◀

▶ 1 ◀

◆루시안 : 새해 복 많이 받으세요!

◆아코 : 복 많이 받으세요!

◆슈바인 : 새해복~!

◆애플리코트 : 올해도 잘 부탁한다.

◆세테 : 복 많이 받아~.

친한 사이끼리 채팅을 날리는 것과 동시에 전체 채팅이 엄청난 기세로 쏟아졌다.

이런 일체감이 좋다니까. 온라인 게임의 새해맞이.

왠지 어디서 본 것 같은 이름도 드문드문 보이고.

하지만 이건 여흥 같은 것. 중요한 건 새해가 왔다는 사실만이 아니다.

중요한 건 지금부터!

▶지금부터 정월 이벤트, 하늘에서 내려오는 세뱃돈 이벤트를 개최합니다.◀

◆루시안 : 자, 왔다!

◆슈바인 : 쓸데없는 소리 하지 말고 집중하라고!

◆세테 : 두근두근하네!

이걸 위해 거짓말까지 해가면서 컴퓨터 앞에 앉았다고. 해내겠어!

강한 결의와 함께 하늘을 올려다보자 세뱃돈이 들어있는 봉투가 우수수 쏟아졌다.

왔다왔어!

◆아코 : 내려오고 있어요!

◆애플리코트 : 얘들아, 주워라!

그렇다. 이것이 새해맞이 이벤트!

하늘에서 내려오는 10억의 세뱃돈! 세뱃돈을 마구 줍는 이벤트다!

안에는 게임머니는 물론이거니와 일부 과금 아이템까지 들어 있으며, 그 총액이 10억 게임머니에 상당한다는 성대한 이벤트.

이건 절대 놓칠 수 없는 1년에 한 번 있는 이벤트다!

◆슈바인 : 해냈다! 따냈어!

◆루시안 : 큭, 줍기는 했지만 내용물이 적어!

◆애플리코트 : 대박은 내 것이다!

◆슈바인 : 마스터는 돈 같은 건 필요 없잖아. 우리한테 넘기라고!

◆애플리코트 : 이런 건 참가하는 데 의미가 있는 거다.

◆루시안 : 아코 쪽에도 떨어졌어!

◆아코 : 아아아, 누가 먼저 주웠어요!

인마. 모르는 사람을 노려보지 마!

보라고. 저 사람, 주, 줄까? 라는 모션을 취하고 있잖아!

괜찮아요. 딱히 신경 안 써도 돼요. 괜찮다니까요!

마을 안에서만 떨어지기 때문에 사람들로 붐벼서 격렬한

쟁탈전이 벌어졌다.

스킬 이펙트도 이곳저곳에서 발생 중이다.

◆슈바인 : 좋았어어어어어, 낙하하는 곳과 돌진 거리 정확해! 하나 받았다!

◆세테 : 무땅 힘내!

슈가 번쩍이는 돌진 스킬을 써서 낙하지점으로 돌격했다. 세테 씨는 주로 이동속도가 빠른 무땅을 조작해서 줍고 있었다. 저 녀석들, 꽤 하는걸!

◆애플리코트 : 이렇게 되면 아이시클 월을!

◆루시안 : 그, 그만둬 마스터!

이동속도가 빠른 주변 캐릭터들에게 짜증이 났는지 마스터가 이곳저곳에 얼음벽을 만들어냈다.

통행불능인 얼음벽을 치는 편리한 스킬이며, 이걸로 구획을 나누면 다들 자신이 있는 곳에 떨어지는 것 말고는 줍지 못하게 된다.

언뜻 보면 좋은 작전으로 보이지만, 이 스킬은 위험하다.

왜냐하면 얼음벽은 HP가 설정되어 있어서 공격하면 부서지니까—.

◆루시안 : 우와아아앗, 이곳저곳에서 공격이 날아오잖아!

◆아코 : 느, 느려져요!

◆애플리코트 : 큭, 작전 미스인가!

사람이 많은데다 스킬 공격 이펙트, 게다가 대미지 표시가 겹쳐서 컴퓨터가 드드득 위험한 소리를 내기 시작했다!

새해 벽두부터 컴퓨터가 망가져!

◆슈바인 : 나는 미리 이펙트를 거의 오프로 해놨지! 가볍군 가벼워!

저사양이 도움이 되었다고?!

크, 치사하구나 슈! ……라고 생각한 것도 한순간.

◆슈바인 : 아아앗, 부서지지 않은 벽이 안 보여! 앞으로 못 나가!

◆루시안 : 꿀좋다!

◆세테 : 아, 무땅이 세 개 가져왔어.

당신의 펫 유능하네요!

◆루시안 : 자, 아코. 너는 위치지정 텔레포트를 쓸 수 있으니까 떨어진 곳에 핀포인트로 날아가서 주워와.

◆슈바인 : 다른 힐러는 텔포로 마구 줍고 있다고!

◆아코 : 그런 섬세한 마우스 컨트롤은 못해요.

◆루시안 : FPS 했을 때를 떠올려!

1월 1일부터 LA 안은 대소동이었다.

◆슈바인 : 그렇게나 필사적으로 주웠는데 이 정도 수입밖에 못 얻었다고 생각하니, 그 시간에 몬스터를 사냥하는 게 더 벌었을 것 같아.

◆루시안 : 그런 말하지 마. 축제였잖아.

아주 못 벌지는 않았지만, 시급이 좋지는 않았다.

이벤트 같은 건 한 끗만 잘못하면 이렇게 된단 말이지.

◆애플리코트 : 과금 아이템은 스스로 사니 필요 없건만.

◆세테 : 왜 쿄우 선배의 세뱃돈은 비싼 것밖에 없어?

◆아코 : 현실의 격차가 이런 곳에서도……!

현실의 격차는 벗어날 수가 없구나.

나는 무난하게 뽑았지만, 아코는 꽝밖에 없었으니까.

◆아코 : 올해도 운이 나쁠 예감이 들어요…….

◆루시안 : 이제 막 시작됐으니까 아직 몰라.

이런 걸로 1년의 운세를 확정짓지 않아도 돼.

◆슈바인 : 그런 의미에서는 운세 뽑기 같네.

◆세테 : ……앗.

슈의 채팅을 본 세테 씨가 뭔가 떠올랐다는 듯이 손뼉을 쳤다.

◆세테 : 맞다맞다. 있지, 모두 함께 첫 참배하러 가지 않을래?

◆루시안 : 오, 괜찮네. 정월이라면 역시 첫 참배지.

그거 참 좋은 제안이다.

정월이라면 첫 참배를 빼놓을 수 없지.

◆애플리코트 : 지금은 붐비겠지만…… 그것도 괜찮겠군.

◆아코 : 모처럼이니까요.

◆슈바인 : 그럼 갈까?

◆세테 : ……어, 지금부터?

세테 씨가 멍하니 고개를 갸웃했다.

그치만 첫 참배잖아?

◆루시안 : 신사로 가는 거 아냐?

◆아코 : 아마즈 신사라면 포탈로 갈 수 있어요.

◆세테 : 아마즈 신사?

◆슈바인 : 거기 말이야. 캇파 몬스터가 있는 곳.

이 게임에도 신사는 제대로 있다.

새전도 넣을 수 있게 되어 있으니까 소원을 비는 것도 가능하다. 잘 됐네!

◆세테 : ……아니, 게임 속 말고!

세테 씨가 고개를 붕붕 내저으며 강하게 호소했다.

◆세테 : 평범하게, 현실의 신사에서 첫 참배를 하러 가자! 내일!

◆루시안 : 현실의…….

◆아코 : 신사요……?

내일이라기보다는 오늘, 1월 1일에 말입니까?

◆루시안 : 정월부터 첫 참배라…… 안 가도 되지 않을까?

◆세테 : 조금 전 말했던 거랑 정반대잖아?!

듣고 보니 그렇긴 하지만.

바깥은 춥고, 지치고, 안 그래?

◆루시안 : 으음, 정월에는 다들 바쁘지 않아?

◆애플리코트 : 낮이라면 상관없다.

바쁜 사람 필두인 마스터에게서 간단히 OK가 나왔다. 어라, 의외네.

◆루시안 : 집안 사정 같은 건 괜찮아?

◆애플리코트 : 그런 예정은 조금 뒷일이지.

◆루시안 : 그럼 상관없지만.

각자 집안의 규칙 같은 게 있으니까.

◆루시안 : 그럼 나는 어느 쪽이든 상관없나…… 집에 있어도 온라인 게임 못하니까.

◆슈바인 : 너야말로 온라인 게임하는 날이라고 말할 줄 알았는데.

◆루시안 : 하고 싶어. 하고 싶지만, 친척들이 온단 말이야.

집에 줄줄이 오는 부모님 지인이나 친척.

그 상태에서 온라인 게임을 할 수 있겠냐. 당연한 이야기다.

◆루시안 : 무시하고 온라인 게임을 했다간 어린 사촌들이 방 문을 쿵쿵 두드린다고…… 무섭잖아…….

◆슈바인 : 왜 은둔형 외톨이처럼 지내고 있는데.

◆루시안 : 게다가 그쪽 부모님이 부르면 내려올 거란다~, 라고 말한단 말이야.

◆아코 : 히데키 혀~엉.

◆루시안 : 그~만~둬어어어어어.

귀찮단 말이야. 친척들.

그보다 넌지시 물어보니까 그쪽도 일부러 찾아오는 게 귀찮다고 하던데 말이지.

정월의 친척 습격 퀘스트는 대체 누가 이득을 보는 거냐고.

◆아코 : 그러네요. 그래도 저는 바깥에 나가고 싶어요.

◆루시안 : 어라? 아코가 신기하게도 외출 찬성파네.

◆아코 : 그게, 친척 만나는 게 거북하거든요.

진심으로 싫어하는 말투네.

◆아코 : 거의 이야기 나눠본 적도 없는 숙부님이나, 이름도 기억 안 나는 숙모님이 말을 걸어오면 곤란하고…… 누구신가요, 라고 물어볼 수도 없고…….

◆슈바인 : 그건 나도 알겠어. 왜 오랜만에 만나는 친척들은 그쪽만 나를 기억하는 걸까?

◆루시안 : 까먹었다는 걸 알게 되면 어렸으니까~, 어쩔 수 없지~ 라며 조금 쓸쓸한 듯이 말씀하시니까 이쪽도 가슴이 아프고.

그때 세가와가 그치만, 이라며 고개를 내저었다.

◆슈바인 : 나는 반대로, 그렇기 때문에 집에 있고 싶어.

그다지 첫 참배가 내키지 않는 모양이었다.

◆세테 : 나가고 싶지 않아? 왜?

◆슈바인 : 그게, 정월은 친척들한테서 세뱃돈을 모을 수 있는 중요한 돈 모으는 날이잖아.

그거야?! 그것 때문에 집에서 나가고 싶지 않은 거야?!

◆슈바인 : 모을 수 있을 때 확실히 모아두지 않으면 컴퓨

터 부품 바꿀 예산이…….

◆루시안 : 절실한 이유네…….

◆아코 : 슈는 친척하고 이야기하는 거 괜찮은가요?

◆슈바인 : 당연하지. 솔직히 너희들이 너무 성실한 거야. 그런 건 어느 선택지를 고르더라도 결과가 똑같은 망겜이니까.

◆아코 : 마, 망겜인가요?

왜, 왠지 현실 대화에 선택지나 망겜이라는 이야기가 나오기 시작했는데?

◆슈바인 : 대답은 『아, 그렇군요~』 『전혀 몰랐어요~』 『저, 제대로 생각해본 적이 없어서~』 같은 걸로 고르라고. 그리고 어느 걸 골라도 세뱃돈은 늘어나지 않으니까 대충 이벤트를 끝마치면 돼.

◆루시안 : 우와, 너 시커먼 속셈이잖아.

◆슈바인 : 재미있는 이야기를 해주시는 숙모님이라면 제대로 들어.

재미없는 이야기를 하는 숙부님도 상대해주라고.

◆아코 : 그치만 학교는 어떠니~ 라든가, 남자친구는 생겼니~ 라든가, 그런 말을 들으면 곤란하잖아요.

◆루시안 : 있지, 그런 것도.

◆슈바인 : 그런 건 일종의 성희롱 아닐까?

◆세테 : 맞아. 그거그거!

세테 씨가 그야말로 그거라고 말하려는 듯이 삿대질 감정표현을 날렸다.

◆세테 : 그러니까 정월에는 집에 있고 싶지 않은 거야!

그리고 커뮤니케이션 능력이 뛰어난 그녀치고는 뜻밖의 말이 나왔다.

친척과 만나면 오히려 즐겁게 대화를 나눌 것 같은 이미지였는데.

◆루시안 : 너는 그냥 평범하게 이야기하면 되지 않을까요?

◆세테 : 이야기만이라면 상관없는데, 왠지 이상하게 돌아가는걸.

그녀는 뾰로통하게 말을 이었다.

◆세테 : 정월이나 오봉 같은 날에 사랑방에서 술을 들이키던 숙부님들이 나나코야, 술 좀 따르거라~, 라면서 다들 나를 부른다니까.

◆세테 : 그래서 어쩔 수 없이 따라주면, 나나코는 역시 잘하는구나~ 라지 뭐야!

◆세테 : 역시라니 뭔데?! 나를 대체 뭐라고 생각하는 거냐고?!

◆슈바인 : 접대 같은 거야……?

◆세테 : 이상하지?!

◆아코 : 이, 이상하네요.

행동도 이상하지만 발언도 이상했다.

사랑방이라니 뭐야? 집에 그런 곳도 있어?

◆루시안 : 열두 시에는 벌써 잔다고 하고, 아키야마네 집은 꽤 고풍스러운가?

◆슈바인 : 가본 적 있는데, 순 일본식에다 기와지붕으로 된 일본 가옥이라는 느낌의 집이었어.

◆루시안 : ……역시 좋은 데서 자란 사람은 커뮤니케이션 능력이 높구나.

◆아코 : 초기 스탯에서 져버린 거네요.

◆애플리코트 : 잠깐 기다려라. 태생이 좋은 것에는 자신이 있지만, 친구는 없다만.

◆세테 : 다 들리는 곳에서 남의 뒷담화를 하는 건 그만두자. 들리지 않는 곳에서 했다간 험담이 돼버리잖아.

◆슈바인 : 뭐, 오전 중에 돌아온다면 괜찮아.

◆세테 : 그럼 가자!

◆애플리코트 : 그럼 내일— 아니, 오늘 아침 마에가사키 역에서 만나도록 하자.

††† ††† †††

친구랑 첫 참배하러 갔다 올게— 라고 말해야할 가족은 아직 일어나지 않았기 때문에 살며시 집을 나섰다.

역시나 겨울 아침은 추웠다.

하지만 생각보다 걸어 다니는 사람이 많아서 오늘은 특별한 날이라는 생각이 조금 들었다.

정월이라고 해도 그다지 실감은 안 나지만.

"내가 제일 일찍 온 건가……."

역 앞 광장에 도착했지만 아직 아무도 오지 않았다.

적어도 누군가와 이야기를 하며 추위를 견디고 싶었는데, 젠장.

"루시안! 새해 복 많이 받으세요!"

그때, 타닥타닥 가벼운 발걸음과 함께 낯익은 달콤한 목소리가 들렸다.

다행이다. 아코가 왔다면 일단 마음이 따스해질 테니까.

"좋은 아침. 아코, 새해 복……."

돌아보자, 눈에 들어온 것은 분홍색 기모노였다.

지금까지 한 번도 본 적이 없었던, 일본 옷을 입은 아코.

꽃무늬가 그려진 분홍색 기모노에 옅은 붉은색 띠를 둘렀고, 조리는 하얗다.

"오, 오오, 기모노?"

"네. 모처럼이니까요."

올려 묶은 머리를 부끄러운 듯이 매만지면서 아코가 파닥파닥 소매를 펼쳤다.

"이상하지 않나요?"

"전혀 그렇지 않아!"

어울려 어울려. 예상 밖이었으니까 놀란 거지 엄청 귀여웠다.

정월답게 화사하고, 의외로 제대로 입고 있었으니까.

머리를 묶었기 때문에 평소에는 보이지 않는 목덜미가 보여서 왠지 두근두근했다.

“그거, 아침부터 입혀달라고 한 거야?”

“스스로 입었는데요?”

얘 지금 당연한 표정으로 말했는데?

“아코, 기모노 입을 수도 있었구나.”

“동영상으로 공부했어요.”

“과학의 힘 굉장하네!”

은둔형 외톨이가 기모노 입는 걸 공부할 수 있는 시대가 됐구나!

아니, 던전 예습은 하지도 않으면서 왜 이런 건 공부하는 거냐고.

이런 주부 기능만 특화해서 올리는 거야?

굉장하다고 생각하지만, 순수하게 감탄하기도 하지만.

“으으음…… 가슴이 조금 조이네요…….”

“당당히 말하지 말아주시겠습니까. 시선이 가버리니까.”

“기모노를 입으면 살이 쪄 보이니까 너무 빤히 보지 말아주세요.”

그야 뭐, 기모노는 평탄한 체형 쪽이 어울리니까 말이지.

“아, 그러고 보니 기모노는 안에 속옷을 입지 않는다고 하던데.”

도시전설이긴 하지만. 속옷을 입지 않는다는 거.

하지만, 설마…… 하는 시선으로 바라보자, 아코는 양손으로 뺨을 매만지며 나를 힐끔 올려다봤다.

"네. 그래서 오늘은 노팬티에요."

기다렸다는 듯이 말해서 나도 즉답했다.

"아직 시간 있으니까 집으로 돌아가서 다시 입고 오렴?"

"거짓말이에요, 거짓말이에요. 제대로 입고 있어요."

"정말이야? 실은 입지 않은 거 아니겠지?"

"괜찮아요. 팬티는 장비하고 왔어요!"

"그러냐. 그럼 다행이네."

아무리 나라도 인터넷 소문을 진실로 받아들여서 속옷을 입지 않고 오면 곤란하다.

아코의 성격을 생각하면, 어딘가에서 엉뚱한 짓을 하지 않을 거라 단정 지을 수 없으니까.

"으음. 곤란하군."

문득 뒤에서 목소리가 들렸다.

"어, 마스터도 왔구나."

"새해 복 많이 받으세요."

"새해 복 많이 받아라. 올해도 잘 부탁한다."

돌아보자, 아코와는 정반대로 검은 기모노를 입은 마스터가 고개를 꾸벅 숙이고 있었다.

그러나 고개를 든 뒤, 마스터는 매우 유감스럽다는 듯이 빰에 손을 댔다.

"……혼자 기모노를 입어서 눈에 띄려고 했건만, 예상이 빗나갔군."

"죄, 죄송해요."

아코가 사과할 일은 아닌데.

마스터의 기모노 차림은 나도 처음 보지만, 입고 있는 것 자체는 딱히 의외가 아니다.

아코보다 익숙해 보이는 건, 평소에도 입을 기회가 있었기 때문일지도.

"이 멤버 중에서 눈에 띄어서 어쩔 건데."

"때때로 스포트라이트를 받고 싶을 때 정도는 있지 않나?"

"마스터는 거의 언제나 빛나고 있다는 기분이 드는데……."

장비 강화 단계로 따져도 빛나고 있으니까.

"좋은 아침~. 기다렸지~."

"어라? 벌써 다 왔어? 빠르네."

세가와와 아키야마도 조금 늦게 도착했다.

아니, 잠깐. 그쪽도야?

"어라? 두 사람 다 기모노?"

"에에에엑, 아코랑 마스터도?"

세가와는 꽤나 쇼크를 받은 듯이 놀라며 휘청거렸다.

"뭐야, 둘이서만 기모노를 입어서 눈에 띄려고 했는데."

"발상이 마스터랑 똑같잖아."

"유유상종 길드로군."

나 말고 전원이 기모노를 입고 있어서 그런지 마스터는 이것도 나름대로 기뻐보였다.

"일부러 나나코한테 입혀달라고 했는데……."

"주범은 아키야마냐."

참고로 혼자서 입지 못하는 시점에서 세가와의 여자력은 아코한테 조금 지고 있었다.

"세가와도 기모노 갖고 있었네. 귀여운 느낌이고, 잘 어울리는걸."

귀여운 여자아이 같은 기모노인데다 의외로 잘 어울렸다.

꽤 하잖아. 괜찮은걸. 이라고 칭찬할 생각이었는데…….

"……아니야."

세가와는 내 말을 듣자 오히려 괴로운 듯이 시선을 돌렸다.

그리고 눌러 참는 목소리로 말했다.

"……이거, 나나코가 어렸을 때 입었던 거…… 빌렸을 뿐이야……."

저, 저질렀다아아아아!

어린이용 기모노를 입은 동급생한테 어울린다고 말해버렸어!

"……미안, 세가와. 빈말은 아니었으니까 부정은 하지 않겠지만, 사죄는 하겠습니다……."

"괜찮아. 괜찮다고. 내가 생각해도 잘 어울리니까."

"미안, 미안해……."

해탈한 듯한 미소로 말하는 세가와를 보며 나는 눈물을 닦았다.

낮은 신장, 조그만 체격, 기복이 없는 체형.

모든 것이 맞물려서 기모노가 매우 어울리는 세가와가 안쓰러워서 견딜 수가 없어.

"다른 건 길이가 맞지 않아서 혹시나 해서 입혀본 건데…… 이렇게나 잘 어울리니까 아카네가 갖고 돌아가도 되는데?"

"고마워, 나나코. 마음만 받을게."

선의의 칼날이 푹푹 꽂히고 있어! 제발 그만둬!

"루시안루시안."

"응? 왜 그래? 아코."

기모노를 입은 아코가 내 소매를 쭉쭉 당기며 발밑을 가리켰다.

"이제 막 모였는데 죄송하지만, 슬슬 발이 아파요."

웃고는 있었지만 약간 울상이었다.

아아, 진짜. 익숙하지 않은 신발을 신고 오니까 그렇지.

"루시안에게 보여주고 싶었을 뿐이니까, 갈아 신을게요……."

"그래라."

처음부터 그럴 생각이었는지 신발은 준비한 모양이었다.

기모노에 부츠도 의외로 어울리네.

첫 참배를 하러 온 곳은 역에서 걸어서 갈 수 있을 정도로 가까운 마에가사키 신사였는데, 생각보다 사람이 많았다.

사람과 부딪치지 않도록 걷는 것이 힘들 정도다.

"정말, 정월 정도는 집에 있으라고. 이렇게나 우글우글 튀어나오다니."

"아카네. 몬스터가 아니야……."

약간 걸음이 엉거주춤한 세가와와는 달리 아키야마는 익숙한 건지 막힘없이 걷고 있었다.

왠지 반에서 리얼충처럼 지낼 때와는 분위기가 달라 보인단 말이지.

"오늘은 하늘이 맑게 개어있으니 좋은 첫 참배일이 되겠군."

"추우니까 눈이 내리지 않아서 다행이네."

"부부끼리 있을 때 눈이 내리면 특별한 기분에 잠길 수 있어서 저는 좋아해요."

"그건 너희들뿐이야."

이야기를 나누면서 돌계단을 올라 경내로 들어갔다.

정월부터 가게를 열었는지 꽤나 성황이었다.

"여름 축제는 못 와봤으니까 가게라도 둘러볼래?"

"오, 괜찮네."

"노점상 보러 가요!"

확실히 여름에는 바다밖에 가보지 못했으니 축제는 오랜만에 온다.

"노점상이라는 말을 들으면 클릭해서 열 수 있지 않을까 생각하게 되더라."

"아이템 팔 것 같지……."

"내가 직접 열고 싶어지더군."

유저 노점상의 이미지가 강하니까.

"금붕어 건지기는 없네요."

"추우니까."

이런 시기에 물을 쓰는 가게가 있을 리가 없잖아. 최악의 경우 얼어버리니까.

"아, 가면을 팔고 있어요."

정말이네. 왠지 익숙한 캐릭터 가면을 엄청 팔고 있었다.

어릴 땐 이런 것도 많이 샀었지.

하지만 지금 보니 왠지 조금 부끄럽다.

"이런 애니나 게임 굿즈가 있으면 보는 이쪽이 쑥스러워지지 않아?"

"확실히 그렇지. 어째서일까……."

애니나 게임 관련 상품을 일반적인 곳에서 대대적으로 팔면 별반 관계가 없는데도 거북해지더라.

하지만 나란히 늘어선 가게들은 먹을 것이 대부분이다.

이곳저곳에서 맛있는 냄새가 나서 아침부터 배가 고파졌다.

"아코, 뭔가 먹고 갈래?"

"배는 고프지만, 옷에 흘리면 곤란한데요."

"으음. 기모노는 큰일이네."

아코가 서툰 것도 큰일이다.

"음. 그럼 나는 뭔가 먹고 올게."

"나는 에마[#1]를 쓰고 오도록 하지."

"그럼 나랑 아코는 저기서 나눠주는 감주라도……."

"아니아니아니! 왜 태연하게 개인행동을 하려고 하는데?!"

일단 개별행동으로 움직이려고 하자 아키야마가 필사적으로 막았다.

"하고 싶은 게 있으니 나중에 합류하면 되잖아. 혼자 있는 게 싫으면 따라갈 거고."

"그런 게 아니라! 같이 왔으니까 같이 움직이자!"

그런 건가?

그런데 말이지, 이러고 있는 것만으로도 주변 시선이 엄청 느껴지는 구나.

지나가던 남자가 확실히 이쪽을 힐끔 쳐다보고 갔다. 여자와 함께 있는 사람도 본다.

하지만 나라도 볼 거다. 화사한 기모노 차림의 여자아이가 네 명이나 모여있는걸.

---

**#1 에마** 나무판에 그림이나 글로 건강이나 행복, 소원 등을 신에게 기원하는 것.

게다가 전부 귀여우니까.

나 괜찮을까? 나중에 찔리지 않으려나?

"루시안? 무슨 일 있나요?"

옆에 있던 아코가 싱글벙글 웃으며 내 팔을 당겼다.

"아무것도 아냐, 아무것도 아냐."

단지, 하렘팟이라는 것도 생각보다 괴롭다고 생각했을 뿐이야.

그 중 한 명이 내 신부고, (개인적으로는)그 녀석이 가장 귀엽다는 게 심장에 안 좋다.

"아, 운세 뽑기를 팔고 있어!"

"정월 첫 뽑기인가. 기합을 넣고 뽑도록 하자."

"운세 뽑기를 아이템 뽑기 취급 하는 건 그만둬!"

"뽑아보죠!"

바로 돈을 내고 뽑아봤다.

어어, 번호가 있는 곳에 있는 종이를 받는 건가.

"4에 0에 3…… 403이라니 왠지 불길한 번호인데."

에러로 열리지 않을 것 같은 숫자잖아, 어이.

아무튼 상자를 열고 종이를 꺼냈다.

자, 내 올해 운세는, 어떠냐!

"……중길인가."

뭐야 이 미묘한 결과.

굉장히 코멘트하기 곤란했다.

레어는 아니고 쓰레기도 아닌, 가장 반응하기 곤란한 뽑기 결과.

"아, 대길이에요!"

"어라, 진짜다. 대길이네."

"대길이야~!"

"역시 정월에는 대길이 많은 건가."

"왜 나 말고 다 대길이냐고!"

알고 있어. 정월에는 대길이 가장 많이 들어있다는 거!

대길 출현확률 대폭 UP, 내용도 LUCK+5 배출 중이라는 느낌이지만!

한 명 정도는 내 동료가 있어도 좋잖아!

"으음, 미묘하네~, 니시무라. 흉이라면 몰라도 중길이라는 게 참……. 나쁘지도 않으니까 소재로 써먹기도 힘들고."

"어중간해서 미안하구만!"

하지만 이해는 간다. 왠지 상상이 된다고.

올해도 즐거운 1년이 되겠지만 그다지 내 생각대로는 돌아가지 않는, 그럴 것 같은 예감이 팍팍 드는걸.

"에잇, 문제는 내용이야. 내용을 읽어보지 않으면 모른다고!"

건강운 그럭저럭…… 금전운 그냥저냥…… 공부운 그저그런 수준…… 우와, 평범하네.

"레어 드롭운은 안 적혀있네요."

"그야 없지. 운세 뽑기에 아이템 뽑기운 같은 게 적혀있으면 미묘하잖아."

"그런 방면에 힘을 쏟는 신사라면 적혀있을지도 모른다만."

"그런 곳도 있어?!"

있다면 뽑아보고 싶네.

거기서 대길을 뽑으면 130만 엔을 들이부어도 안 나오는 레어 같은 걸 뽑을 수 있을 것 같다.

"온라인 게임의 뽑기랑은 다르니까 좋은 게 나올 때까지 다시 뽑으면 안 돼."

"뭐 어때. 그만큼 돈은 내는데."

"이걸로 1년 보너스가 달라지니까 한계까지 다시 뽑아야죠!"

"그건 운세 뽑기의 취지와는 동떨어진 게 아닐까."

아키야마가 뽑기 종이를 세심하게 접으면서 쓴웃음을 지었다.

"아, 그러고 보니 연애운은— 좋은 인연이 이미 있다……라."

연애하기에 좋은 사람은 이미 만났다는 건가.

새로운 만남이 아니라 이미 주변에 있는 사람에게 눈을 돌려야 한다는 결과였다.

그때 옆에서 누가 팔을 쭉쭉 잡아당겼다.

"응?"

"저요! 저요!"

바라보자 아코가 웃으며 자신을 가리켰다.

"그러네."

나에게 좋은 인연이 있다면 아코 말고는 생각할 수 없으니까.

아코의 머리를 스윽스윽 어루만졌다.

평소에는 폭신폭신한 머리가 지금은 묶어서 매끈매끈했다. 이것도 나름 기분 좋군.

"참고로 아코의 결과는?"

"이랬어요."

연애운— 놓치지 말고 붙잡아라. 혼담은 빨리 진행하는 것이 좋다.

"이거, 저쪽 나뭇가지에 묶자."

"그건 운이 나쁠 때 하는 거잖아요!"

"됐으니까 묶어! 태워버리자고!"

"그것보다 최대의 목적을 잊지 마라. 첫 참배를 하러 온 것 아니냐."

아아, 그랬지, 그랬지.

첫 참배를 하러 왔는데 아직 참배를 안 했잖아.

붐비는 경내를 걸어서 신사 앞으로 향했다.

"올해 1년 운을 확실히 빌지 않으면 안 되겠네요."

"그렇게 들으니까 타인한테 빌붙는 것 같네."

"신에게 빌붙는 거예요!"

비슷한 셈이잖아.

잠시 차례를 기다린 뒤, 우리는 새전함 앞에 섰다.

조금 분발해서 준비한 새전을 넣은 뒤, 손을 맞댔다.

"…………."

"………………."

올해도 아코와— 모두와 함께 즐겁게 보낼 수 있도록.

정식으로 어떻게 하는지는 모르겠지만 모두 함께 탁탁 손을 맞댔다.

특히 아코가 진지한 얼굴로 중얼중얼 빌고 있었는데…… 뭘 빌고 있는 걸까.

귀를 기울이자, 작은 목소리가 살짝 들렸다.

"첫날밤첫날밤첫날밤첫날밤."

"아코의 소원만큼은 이루어지지 않게 해주세요……."

"뭘 비는 건가요!"

내 신변 안전을 빌고 있는 거야!

"자, 뒷사람이 기다리고 있으니까 빨리 가자."

우리 둘은 세가와에게 쭉쭉 떠밀려서 쫓겨났다.

큭, 신이시여. 잘 부탁드립니다. 정말로.

"자, 이걸로 다음 사냥에서는 반드시 레어가 나올 거야."

"어마어마하게 속물적인 소원이네."

온라인 게임 운을 빌지 말라고.

조금 더 괜찮은 소원도 있잖아.

"다들 뭘 빌었어?"

아키야마가 묻자 아코는 웃으며 답했다.

"올해도 모두 건강하길 바란다고요."

엄청난 거짓말을 하고 있잖아!

"왜 거짓말을 하는 걸까……."

"줄줄 새어나오는 욕망이 나한테까지 들렸어."

"나는 모두와 즐겁게 지낼 수 있도록, 이라고 빌었는데……."

"그 소원, 아코의 소망을 취소하는 걸로 덮어씌워진 거 아냐?"

"우리가 빈 소원을 둘이서 함께 상쇄시켰어!"

"저희의 새전이 완전히 허공으로 날아갔어요!"

크읏, 아까운 짓을 해버렸어!

"고등학생답게 남친이 갖고 싶다든가, 시험에서 좋은 점수를 받고 싶다든가, 그런 건 없어?"

"그렇게 웃고 있는 아키야마 넌 무슨 소원을 빌었습니까."

"…………."

아키야마는 살며시 나에게서 시선을 돌리고 툭 중얼거렸다.

"조금 더 우리 반이 평화로워졌으면 좋겠다고……."

"왜 또 그런 걱정을?!"

정월부터 우중충한 분위기가?!

"너는 모르겠지만, 크리스마스부터 연말연시까지 여전히 어수선하단 말이야."

"응. 우리 반 그룹 채팅은 초상집이야."

"……저기, 나도 일단 우리 반 그룹 채팅에 들어가 있을 텐데."

그쪽에는 아무것도 나오지 않았었는데?

어째서 내가 없는 그룹 채팅이 있고, 그쪽이 더 메인인데?

"깜짝 놀랐어. 자키랑 카오가 헤어지다니."

"예상 밖이었어……."

"누구야 그 두 사람."

"왜 같은 반인데 모르는 거야……."

별명으로 말하면 모른다고.

"나 참, 이러니까……."

그렇게 바보 취급하듯이 말하지 않아도 되잖아.

성으로 말해주면 알거든?

"그러니까 내년에는 우리 반도 좀 더 평온무사해졌으면 좋겠다 싶어서."

"그런 건 고양이공주 씨…… 선생님이 빌어야 하는 거 아냐?"

담임이니까.

뭐, 그다지 연애사정 같은 것에 끼어들지는 않을 것 같은 사람이지만.

"그러고 보니 선생님은 연인 같은 사람 있을까?"

"그러고 보니 들은 적은 없네."

"있어도 이상하지는 않군."

선생님은 예쁘고, 빠릿빠릿하고, 자상하니까.

"남친, 이라……."

문득 마스터가 머나먼 곳을 바라봤다. 아련한 꿈을 꾸고 있는 듯한 눈이다.

"왜 그래? 마스터."

"첫 참배에서 나는 파트너를 갖고 싶다고 빌었으니까."

"어? 잠깐 마스터. 파트너라니, 남자?"

"남자라도 상관없다. 이렇게 보니 그런 것도 좋을 것 같다는 생각이 들어서 말이지."

마스터가 주변을 슬쩍 돌아보면서 말했다.

확실히 경내에는 남녀끼리 오거나, 가족끼리 온 사람이 많았다.

나에게 소외감이 없는 건 줄곧 옆에서 떨어지지 않는 아코 덕분이고, 혼자서 왔다간 상당히 거북한 공간이었을 거다.

"게다가 작년에는 아코와 루시안이 행복하게 보여서 말이지…… 음, 그래."

고개를 세차게 끄덕인 마스터가 주먹을 꽉 쥐었다.

"내 올해 목표는, 결혼하는 거다!"

"대체 뭔 소리야!"

세가와가 허둥지둥 마스터의 양어깨를 붙잡았다.

"나도 행복해져도 되지 않느냐!"

"그걸 위해 바로 결혼하겠다니 대체 뭐야! 먼저 남친부터 잖아!"

"친구가 없는데 연인 같은 걸 만들 수 있을 리가 없잖나."

"그렇다고 해서 느닷없이 결혼이라니 이상하잖아?! 어, 아니, 이상하지 않나?"

"진정해. 세가와. 마스터한테 휘둘리지 마!"

아아, 정말. 이럴 때야말로 고양이공주 씨가 스톱을 걸어줬으면 좋겠는데!

"어라? 저기저기, 저쪽에 지나가고 있는 사람, 사이토 선생님 아니야?"

"엥?"

설마 이렇게 타이밍 좋게 있을리가— 이, 있잖아!

"정말이다. 저거 고양이공주 씨……지?"

"거리는 멀다만…… 아마 그렇겠군."

기모노는 아니지만 평소에 학교에서 보는 것보다는 꾸민 것처럼 보이는 고양이공주 씨.

옆을 걷는 남자를 올려다보며 뭔가 이야기를 하고 있었다.

남자한테…… 남자, 한테?

"남자를 데려…… 왔다고……?"

"그러네요. 남자분과 함께 있어요."

아코와 얼굴을 마주 봤다.

"남친, 일까?"

"그렇다고 해도 이상하지는 않네."

고양이공주 씨가 남자와 외출을 하다니. 어째서일까, 굉장히 의외였다.

"사이토 교사에게도 연인이 있다니…… 그렇다면 나도 질 수 없지!"

아아, 마스터한테 쓸데없는 불이 붙었어!

"올해에는 나도 결혼이다!"

"부탁이니까 진정 좀 해!"

††† ††† †††

일찍 돌아가고 싶어 하는 마스터와 세가와가 있어서 빨리 해산했다.

나는 아코를 데려다주러 같이 돌아가는 길이다.

"일부러 이렇게 데려다주셔도 괜찮나요?"

"익숙하지 않은 기모노 차림이고, 내버려둔 채 보내면 걱정된다는 구실이 있으니까 괜찮아."

"구실인가요."

"구실입니다."

그럼 본심은? 이라고 묻는 아코에게서 슬쩍 고개를 돌렸다.

이렇게 끝내면 쓸쓸하다는 소리를 하게 만들지 말라고, 부끄럽잖아.

"루시안. 조금 전 봤던 사람, 고양이공주 씨였죠?"

아코의 부츠가 탁 가벼운 소리를 냈다.

"아마 그럴 거야."

"남자랑 같이 있었죠?"

"……아마, 그럴 거야."

멀었고, 인파도 엄청났지만, 낯익은 고양이공주 씨를 잘못 볼 리는 없다.

아코는 흐으음 하고 뭔가 안심한 듯이 끄덕였다.

"고양이공주 씨한테도 그런 상대가 있었네요."

"왠지 의외…… 아니, 의외까지는 아닌가."

"고양이공주 씨에 대해서도 잘 모르니까요."

"선생님이 평소에 어떻게 지내는지는 전혀 모르니까."

게임 안에서 자주 보이니까 프로레슬링보다는 온라인 게임을 메인에 두고 살고 있는 것 같지만.

"마스터가 결혼한다고 했었는데, 선생님도 연인하고 결혼하기라도 하는 걸까요?"

"그 경우에는 우리도 결혼식에 초대받는 것 아닐까? 학생들 자리에 앉는 느낌으로."

"학생들이 보내는 축하인사라며 단상에 올라가서 고양이공주 씨 축하해요! 라고 할까요?"

"전에 말했던 카나타 씨 때랑 똑같잖아. 대참사가 날 테니까 그만둬."

"고양이공주 씨는 친구가 많아 보이니까 부를 사람이 없어 곤란하지는 않을 것 같아요."

"우리랑 다르게 말이지."

하아, 하고 한숨을 내쉬었다.

"그냥 가족들끼리만 하는 결혼식이 편할 것 같아."

"저는 어떤 거라도 상관없지만…… 그래도 왠지 기쁠 것 같아요!"

"이 화제의 뭐가 기쁜데."

"그야 루시안과 제가 결혼한다는 전제를 두고 여러모로 생각하는 거잖아요! 역시 약혼을 했으니까요!"

야, 약혼? 약혼이라니, 장래에 결혼을 하겠다는 약속 말이야?

나랑 아코가 그런 걸 했던가?

"어, 어디서 그런 이야기가?"

"슈슈 앞에서 뜨거운 프러포즈를 했었잖아요!"

"…………응?"

"언젠가 나와 결혼할 테니까, 새언니가 될 거다! 그렇게 말했었잖아요! 왜 거기서 물음표를 띄우는 표정인 건가요!"

"아! 그건가!"

말했다말했다. 그런 소리를 했었다.

돌아오고 나서 여동생이 오빠, 결혼할거야? 라며 진지하게 물었었지.

"설마, 그건 그냥 기세에 몸을 맡긴 거고, 사실은 전혀 그런 생각을 안했다거나—."

"아니아니, 가능하다면 아코랑 결혼하고 싶어."

"꺄아!!!!"

아코에게서 퍼엉 하고 폭발 같은 이펙트가 나왔다…… 그런 기분이 들었다.

그렇게 보일 정도로 아코는 무척 좋아하며 펄쩍펄쩍 뛰었다. 위험하잖아. 기모노 입고 넘어지지 말라고.

"마침내! 마침내 루시안이 데레를 보였어요! 이것이 크리스마스의 힘인 거네요!"

꺄아꺄아 하고 해맑게 기뻐하는 중이다.

"아코 네 머릿속에서는 현실에서도 부부였던 거 아니었어?"

"루시안, 법률상의 처리는 의외로 중요하다고요. 현실에서는 결혼하면 여러모로 보너스가 붙는단 말이에요."

"이럴 때만 현실적인 이유를……."

말투는 보너스였지만, 평범하게 현실적인 이유였다.

"그보다 말이지. 내가 생각하건대, 문제는 아코 네 마음이야."

"네?"

어디에 문제가? 같은 표정 짓지 말라고.

나로서는 결혼할 생각이 들 연령까지 과연 아코가 나와 함께 있어줄지가 가장 큰 불안요소라고.

아코는 아직 우리 반 녀석들과 그다지 말도 나누지 않는 수준이지만, 조금씩 개선은 되고 있다.

그리고 세상에는 나보다 멋있고, 믿음직스럽고, 게임을 잘 하는 남자가 엄청 많다.

그렇기에 장래에 아코를 묶어둘 수 있을 자신이 전혀 없다.

그치만 귀엽단 말이지. 내 신부.

그럼에도 언젠가 결혼하겠다고 말한 이유는, 그때 아코가 좋아한다고 말해줬기 때문이다.

"장래에 뻥 차이는 거 아닐까, 나……."

며칠 지나니까 역시 나로서는 안 되는 게 아닌가 하는 불안감이 물씬물씬 난단 말이죠.

그런 내 불안감을 듣자 아코가 대답했다.

"무서운 소리 하지 말아주세요. 루시안과는 죽어도 함께라고요!"

"네 발언이 더 무서워!"

"죽어서도 영원히……."

"해골 반지는 그만둬! 얀데레냐고!"

"얀데레는 요즘 알게 돼서 조사해봤는데요. 약간 사랑이 깊을 뿐 평범한 사람 아닐까요?"

"……일단 날붙이는 그만두자."

"그럼 빠루 같은 걸로."

"그만두라고."

이렇게 나오는 한 아코가 내게서 떠나간다는 건 상상도 못하겠지만.

어찌 됐든 그건 나중 일이고. 원래 부부니까 천천히 친해져 가면 된다고 생각하고 있다.

"아무튼 간에, 나랑 아코가 한 사람 몫을 하게 되고 난 뒤의 이야기겠지."

"둘이 합쳐서 한 사람 몫을 하게 되면 좋을 거라 생각해요. 빈곤해도 서로 받쳐주며 살아가자고요."

"……아코, 대학에는 가자."

"무리에요무리에요무리에요!"

고등학교 1학년 시점에서 진학을 포기하지 말란 말이야.

아직 레벨이 낮으니까 앞으로 어떤 루트로도 갈 수 있다고.

"결혼이 현실적인 연령이라고 하니 말인데요."

그때 아코가 손을 탁 치며 말했다.

"루시안의 생일은 언제인가요?"

"말인데요, 의 앞뒤가 이어지질 않는다만?"

"네? 그치만 남자는 18세까지 결혼 못하지 않나요?"

"……으, 응."

"그러니까 루시안의 생일을 가르쳐주세요."

"그러니까, 의 앞뒤가 이어지질 않는다고!"

불길한 예감밖에 안 들어!

평소였다면 축하해달라면서 가르쳐줬겠지만, 이 녀석한테 만큼은 말할 수 없어!

"가르쳐주세요~, 줄어드는 것도 아니잖아요~."

"오히려 늘어나! 내 호적 뒷줄이 왠지 늘어날 것 같잖아!"

"생일날에 혼인신고서를 보낼 테니까요!"

"법률상의 처리를 마치려고 하지 마!"

"우우우, 하루라도 빠른 편이 좋은데."

내가 조금 긍정적으로 변한 덕분에 점점 아코의 사랑이 무거워지고 있어!

"이렇게 되면 슈슈한테 물어볼래요."

"그만둬, 그거 그만둬! 그 녀석은 알고 있으니까!"

여동생인걸. 그야 알고 있지.

"참고로 저는 2월 5일이에요."

"얼마 안 남았잖아! 빨리 말하라고!"

아아, 정말. 태클을 너무 걸어서 지쳤다.

"저희한테는 연령의 족쇄가 있으니까 고양이공주 씨가 먼저 결혼할지도 모르겠네요~."

먼저라니, 그 사람이 더 연상이거든?

"하지만 뭐, 고양이공주 씨답게 그 남자도 연인이 아니고, 연인 같은 건 아무도 없다는 설이 농후할 것 같지 않아?"

"아니라고 해도, 둘이서 첫 참배에 올 정도니까 범상치 않은 관계 같은데요."

"아니아니, 그냥 동생일지도 몰라."

"……루시안."

"왜, 왜 그래? 그렇게 못마땅한 표정으로."

그런 표정 오랜만에 보는데.

"왠지 고양이공주 씨한테 연인이 있으면 싫은 것 같은 말투였어요!"

"딱히 그런 건 아닌데. ……어, 그렇게 들렸어?"

"들렸다고요!"

부루퉁한 소리를 내면서까지 말했다. 우와, 이건 정말로 화난 걸지도.

아코는 자주 토라지고, 울기도 하지만, 나한테는 그다지 불쾌한 표정을 보이지 않는단 말이지.

그렇기 때문에 진짜로 못마땅해 한다는 걸 알 수 있지만 — 어어, 내가 그렇게 고양이공주 씨한테 미련이 남았다는 분위기를 냈었나? 고양이공주 씨한테 연인이 있든 없든 어느 쪽이라도 상관없는데?

"그 사람이 이성과 함께 있다는 이미지가 없었으니까 의외였을 뿐이고, 나는 정말로 아무래도 상관없거든?"

"정말인가요? 아직 고양이공주 씨한테 미련이 남은 게……."

"나를 담임 선생님한테 추파 던지는 위험한 남자 고등학생으로 만드는 건 그만둬."

고양이공주 씨는 우리 반 담임이라고.

“선생님인 건 현실 이야기이고, 평소에는 고양이공주 씨잖아요!”

“평소에 선생님이고, 게임에서만 고양이공주 씨라고. 선생님 상태에서 만나는 쪽이 많으니까.”

“우우우…… 변명에 모순이 없네요. 논파할 수 없어요.”

“추리게임도 아니고, 내 발언을 논파하는 짓은 그만둬줄래?”

“그건 틀렸어!”

“빠릿빠릿한 목소리로 말하지 마.”

말하는 사이에 조금 진정이 됐는지 아코는 후우~ 하아~ 하고 숨을 들이쉬며 휙휙 고개를 저었다.

“으으. 남편의 과거를 트집 잡는 마음이 좁쌀만 한 아내가 되어선 안 되겠죠.”

과거라고나 할까, 흑역사가 파헤쳐지는 기분인데.

“진짜로 아무 일 없으니까 괜찮아.”

“실은 지금도 조금 좋아한다고는 말하지 않을 거죠?”

“말 안 해, 안한다고.”

조금도 없습니다. 진짜입니다.

“그럼 지금은 누굴 좋아하나요?”

“그야 지금은—.”

거기서 입을 다물고 나를 바라보는 아코와 시선을 맞췄다.

“…………”

“……………………칫.”

뚫어져라 바라보자, 시선을 돌린 건 아코 쪽이었다.

“지금 왜 혀를 찼냐.”

“조금만 더 가면 됐었는데요.”

아코는 방금 전까지 보였던 못마땅한 얼굴은 어디로 갔냐는 듯이 분하다! 라며 손가락을 튕겼다.

“……왠지 요즘 기회만 되면 좋아한다는 말을 들으려고 하지 않냐? 아코.”

“그그그그런 적 없는데요.”

“그렇게 신용할 수 없는 부정은 오랜만에 듣는걸.”

크리스마스부터 아코가 부리는 응석에 약간 변화가 생겼다.

지금까지처럼 일방적으로 다가와서 붙는 게 아니라, 내 쪽에서도 다가오기를 바라게 되었다.

입으로는 부부다, 신부다 말하는 주제에 절대로 이루어지지 않는 짝사랑을 하는 듯한 부분이 있었지만— 요즘에는 정말로 신부 같다.

싫지는 않지만, 뭐랄까, 악화된 것 같아서 무섭기도 하다.

“외국 신사도 아니고, 매일 좋아한다고 말하는 건 조금…….”

“안 되나요…….”

아코는 하아, 하고 목소리는 가볍지만 정말로 아쉽다는 듯이 말했다.

아아, 정말. 그런 표정 짓지 말라고.

"……가끔이라면 노력해서 해볼게. 나도 아코를 좋아하니까."

"—으, 그런 페인트는 치사해요!"

"페인트를 하고 싶었던 건 아니고, 나도 부끄럽다고……야, 당기지 마, 당기지 마."

후냐아 하고 헤실거리는 표정이 된 아코 탓에 쓸데없이 부끄러움이 늘어났어!

"말하는 데 익숙하지 않다고! 쑥스럽잖아!"

"좀 더 말해서 익숙해지자고요!"

"조금씩 하자. 조금씩."

"그럼 다음에는 언제 들을 수 있을까요!"

이 녀석…… 정말로 익숙해지게 만들 셈이네…….

들뜬 표정으로 기모노 소매를 흔드는 아코를 보자 한숨이 나왔다.

"익숙하지 않은 옷이니까 끌어안은 채로 넘어지지 마라?"

"넘어질 때는 함께예요!"

아코는 싱글벙글 좋아하며 웃었다.

불쾌한 표정이 아니라 이런 표정을 보여준다면 다소 참을 수도 있지.

다음에 기회가 되면 아코의 옛날이야기라도 들어볼까.

††† ††† †††

◆루시안 : 지쳤어~!

◆아코 : 지쳤어요오오오오.

◆슈바인 : 이제 싫어어어.

그날 밤.

여느 때처럼 우리는 찻집에서 헤롱헤롱 엎어져있었다.

◆루시안 : 역시 정월에 집에 있으니 힘들어…….

◆아코 : 우우, 이제 모르는 숙부님은 싫어요오.

◆슈바인 : 정말이지…… 당신들 뭐하는 사람이야…….

여친은 있냐~ 라든가, 공부는 잘 하고 있냐~ 라든가, 사생활 이야기만 서슴없이 물어오는걸.

여친이 아니라 신부가 있는데요, 엄청 귀엽다고요, 라는 말이 수도 없이 튀어나올 뻔 했다.

◆아코 : 엄마는 잠자코 웃고만 있으면 괜찮다고 했지만, 그게 제일 힘들었어요.

◆루시안 : 아코 너야 그렇겠지…….

나한테는 흘러넘칠 정도로 애교를 부리지만, 혼자 있으면 멀뚱멀뚱 퉁명스럽게 있으니까.

◆아코 : 이제 신년회라는 말은 트라우마에요.

◆루시안 : 내년에는 없었으면 좋겠어.

◆아코 : ……세뱃돈은 고마웠지만요.

◆루시안 : 그건 정말로 고마웠지.

◆슈바인 : 그건 틀림없네.

세뱃돈은 고맙게 받았습니다. 역시 내년에도 찾아와주세요.

그런 이익만을 쫓는 우리를 보며 떨떠름한 표정을 짓고 있는 사람이 한 명 있었다.

◆애플리코트 : 사람과의 관계는 중요한 법이다. 좋은 관계를 맺는 건 결코 나쁜 일이 아니야.

◆슈바인 : 마스터한테만큼은 듣고 싶지 않아.

◆애플리코트 : 어째서냐?! 나는 친척관계가 양호하단 말이다!

◆슈바인 : 마스터가 그렇다면 그런 거겠지.

◆루시안 : 마스터 마음속에서는.

◆애플리코트 : 요즘 길드 마스터의 대접에 일고의 여지가 있다고 생각한다만.

옛날부터 이랬잖아.

◆애플리코트 : 거짓말이 아니라 확실히 양호하다만…….

◆슈바인 : 정말로? 마스터도 남친 없니~ 같은 소리 들으면 화나지 않아?

◆애플리코트 : 하하하, 그 말에는 확실히 대답했다. 장래에 결혼하기에 어울리는 상대를 찾고 있습니다, 라고.

◆슈바인 : 당신 가족한테 무슨 소리를 하는 거야?!

가족한테 결혼선언을 해버렸어?!

왜 그런 소리를— 아니, 오늘 말했던 그건가!

◆루시안 : 그, 그건 참배 때 말했던, 올해는 결혼한다! 라는 그거?

◆아코 : 진심이었나요?

◆애플리코트 : 당연하지. 한번 한 말은 즉시 실행하는 게 내 모토다. 벌써 혼활[#2] 사이트에도 등록했다.

◆루시안 : 혼활 사이트?!

그거 여고생이 등록할 수 있었던가?!

상대를 찾지 못해서 곤란한 사람을 위한 사이트 아니었어?

◆슈바인 : 우와아, 마스터 진짜로 한 거야?

◆애플리코트 : 했고말고. 하긴 했다만…….

하긴 했다만? 뭔가 문제라도 있었나?

◆애플리코트 : 정확한 정보를 적었건만 장난치시면 곤란합니다, 라는 고충 처리 전화가…….

◆슈바인 : ……구체적으로 어느 부분이 장난이라고 생각한 건데?

◆애플리코트 : 연령과 직업, 연수입이다. 연령 17세, 직업은 고등학생, 연수입은 1천만 엔 이상 항목에 체크했다.

◆슈바인 : 다, 당신…… 그야 혼나는 게 당연하지…….

그렇겠죠~.

연수입 천만 엔의 여고생입니다! 라고 등록했으니 그야 사이트 관리자도 화내겠지.

---

**#2 혼활** 결혼을 목표로 이성을 만나는 활동을 뜻하는 일본의 신조어.

◆애플리코트 : 그건 이상하지 않나? 스스로 말하는 것도 뭐하지만, 나는 결혼상대로는 베스트에 가까운 여자다! 젊고, 집안도 나쁘지 않고, 용모도 나름대로 좋으며 수입도 있다. 뭐가 불만이라는 거냐!

◆슈바인 : 전부야 전부! 전부 지나치다고!

◆루시안 : 기꺼이 동의하겠어.

◆아코 : 마찬가지에요.

우리가 그렇게 말하자 마스터는 그 자리에서 엎어지더니 분한 듯이 바닥을 내리쳤다.

◆애플리코트 : 큭, 설마 그런…… 혼활 사이트에서 인기를 모은 뒤에 현실적인 교제라면 내가 제일 인기가 많다고 과시할 생각이었건만…….

◆루시안 : 동기가 불순해~.

◆슈바인 : 욕망으로 가득하잖아.

친구는 없어도 인기는 많다! 라며 우리한테 과시할 생각이었던 거구나. 마스터.

◆애플리코트 : 하지만 나는 포기하지 않는다! 고양이공주 씨한테는 지지 않겠다!

◆슈바인 : 그만두라니까…….

슈가 지친 모습으로 만류했지만 마스터의 귀에는 전혀 들어오지 않는 모양이었다.

◆애플리코트 : ……이런 식으로 조금 더 이야기를 하고 싶었

다만, 이 시기에는 바빠서 말이다. 미안하지만 슬슬 실례하마.

◆슈바인 : 나도 지쳤으니까 슬슬 잘래.

◆루시안 : 그래그래. 잘 자.

◆아코 : 수고하셨어요.

두 사람이 함께 로그아웃했다.

이 시기에는 아침부터 볼일이 있거나 해서 늦게까지 할 수 없는 사람이 많지.

◆루시안 : 마스터도, 슈도 껐는데, 둘이서 뭐하지?

◆아코 : 이벤트 참가는 어떤가요? 신춘 포와링 레이스라는 미니게임이 있던데, 귀엽고 즐거워요.

◆루시안 : 이기면 뭘 받는데?

◆아코 : 아뇨. 아무것도 안 줘요.

그럼 그다지 나가고 싶지 않은데. 아코가 가고 싶다면 가겠지만.

그런 이야기를 나누고 있는데, 가게 문이 열리고 쌍검을 맨 경장비 플레이어가 들어왔다.

◆유윤 : 아, 있다있다. 두 사람, 신년회에 흥미 없어?

◆아코 : 시, 신년회…….

◆루시안 : 시비 거냐?!

◆유윤 : 왜 느닷없이 그런 말을 들어야 하는데?!

◆루시안 : 아, 미안. 신년회라는 단어가 조금 무서워져서.

이 녀석, 친위대의 유윤이잖아. 중년남 신부는 잘 지내냐?

◆유윤 : 그게 말이지, 우리 성에서 고양이공주 왕국 신년회를 하거든. 괜찮으면 오지 않을래?

고양이공주 왕국의 신년회라니. 이미 왕국인가, 역시 고양이공주 씨.

◆루시안 : 어쩔래? 왠지 재미있어 보이는데.

◆아코 : 그러게요. 가보죠. 갈아입고 올게요.

◆루시안 : 왜 놀러 가는데 옷을 갈아입어?

◆아코 : 놀러 가는 거니까 갈아입는 거예요!

그런 건가?

아코가 갈아입은 옷은 어딘가에서 본 적이 있는 기모노였다.

게임 속이라면 입는 것도 편하니까 좋겠네.

그리하여 우리는 유저 주택가로 향했다.

정월이라 그런지 여러 집이 신년 장식을 걸었다.

우리 집도 크리스마스, 정월 장식을 해놨지만 아쉽게도 대부분의 사람은 보러 오지 않는다.

대부분이라고 한 것은, 완성 후에도 세테 씨의 손으로 계속 개장되는 우리 집에 하우징 취미를 가진 사람들이 정기적으로 찾아오기 때문이다. 그 사람들 굉장해.

◆루시안 : 고양이공주 씨의 성은……오, 오오.

◆아코 : 정월! 이라는 느낌이네요.

성 외관을 카가미모치[#3]처럼 해놨잖아. 저거 어떻게 한 거지?

---

**#3 카가미모치** 일본에서 새해에 장식하는 떡.

바깥에 카도마츠[#4]까지 해놓다니, 쓸데없이 성대한 정월이었다.

◆아코 : 노점상도 엄청 나와 있어요.

◆루시안 : 유저 이벤트처럼 해놨네.

아이템, 무기, 방어구를 여기저기서 팔고 있었다.

떡 같은 정월 한정 아이템이나 기모노 방어구도 파는군.

◆루시안 : 아코도 이거 입은 거구나.

◆아코 : 나오자마자 샀어요! 정월 이벤트에서 받은 돈을 몽땅 써버렸지만요.

◆루시안 : 충동구매잖아…… 입다가 질린 사람이 팔면 가격이 낮아지는데…….

아코는 룩이 좋은 장비에 돈을 들이는 버릇이 낫지를 않네.

귀엽다고는 생각하니까 이것도 이것대로 좋긴 하지만, 먼저 필요한 장비를 갖추고 나서 사라고.

◆고양이공주 인장 : 고양이공주 인장의 포션 있어요~.

◆고양이공주 공방 : 고양이공주 공방의 장비사세요~.

그런 채팅까지 나왔다.

◆아코 : 왠지 고양이공주 씨 굿즈가 있는 것 같은데…… 선생님이 포션 같은 거 만들 수 있었나요?

◆루시안 : 그 사람이라면 생산도 올렸을 것 같지만, 이건 고양이공주 씨하곤 상관없는 것 같아.

---

#4 카도마츠 일본에서 새해에 문 앞에 장식하는 소나무.

◆아코 : 그런가요?

그렇습니다.

◆루시안 : 결혼반지랑 똑같이, 일부 생산 아이템은 생산자의 이름이 새겨지거든. 그러니까 저 고양이공주 인장의 포션은 고양이공주 인장이라는 캐릭명을 가진 사람이 만든 거야.

◆아코 : 아, 그러네요.

고양이공주 공방의 롱소드도 그렇다. 캐릭명을 보니 고양이공주 공방 사람이 만들었다.

그렇지 않다면 재미있는 이름이 들어간 장비 같은 건 못 만드니까.

◆아코 : 그렇다는 건, 고양이공주 씨의 이름이 붙은 장비를 생산하기 위해 일부러 신캐를 만들어서 생산 스킬을 올렸다는 건가요?

◆루시안 : 게다가 품질을 보니 스테이터스도 꽤 높아. 레벨 엄청 올렸어.

◆아코 : ……고양이공주 씨 굉장하네요.

왕국의 여왕님이니까, 그야 굉장하겠지. 하하하하하.

현실도피를 하는 사이 고양이공주 씨를 칭송하는 노래라는 오리지널 송까지 흘러나왔다.

게임 속에서 깨작깨작 악보를 만들면 연주를 할 수 있는 스킬이 있긴 하지만, 카피곡이라면 몰라도 대규모 오리지널 곡이라니, 전문지식이 없으면 못 만들 텐데.

고양이공주 왕국민은 대체 얼마나 많은 거야.

◆†클라우드† : 그럼 지금부터, 고양이공주 여왕과의 알현을 허가한다. 희망하는 자는 간판 앞에 줄을 지어 서도록.

……알현?

◆아코 : 알현이라니, 뭐하는 거죠?

◆루시안 : 나도 전혀…….

◆유윤 : 이쪽은 고양이공주 여왕폐하와의 악수회 대기줄입니다~. 두 줄로 서주세요~.

고양이공주 여왕 악수회라는 간판을 든 캐릭터 앞에 사람들이 줄줄이 섰다.

악수회라니…… 진짜냐…… 아아, 진짜 같아. 다들 정렬하고 있어…….

◆루시안 : ……악수, 할 수 있는 것 같네.

◆아코 : 저희도 줄 설까요?

◆루시안 : 기왕이니까 서 볼까?

만나고 싶다면 언제라도 만날 수 있지만, 이것도 나름 재미있으니까.

줄을 서는 참가자들에 뒤섞여서 줄이 줄어드는 걸 느긋하게 기다렸다.

20분 정도 기다리자 겨우 고양이공주 씨가 화면 속에 보였다.

수수께끼의 부스에 앉은 고양이공주 씨는 정말로 내빈들

을 상대하고 있었다.

어째서인지 제대로 악수도 하고 있다.

◆루시안 : 완전히 악수회네. 진짜로.

◆아코 : 아이돌이네요.

아이돌이라고나 할까, 아이돌(웃음) 취급인 것 같은데.

보고 있는 사이 차례가 와서 둘이 나란히 고양이공주 씨 앞으로 나왔다.

◆고양이공주 : 새해 복 많이 받으라냐. 루시안, 아코.

◆루시안 : 새해 복 많이 받으세요. 고양이공주 씨.

◆아코 : 복 많이 받으세요…… 괘, 괜찮으세요?

◆고양이공주 : 냐아…… 괜찮다냐.

고양이공주 씨는 조금 지친 얼굴로 말했다.

참고로 그 얼굴은 감정표현 조작이다. 요컨대 선생님은 저도 모르게 감정표현을 출력할 정도로 진짜로 지쳤다는 소립니다.

◆루시안 : 왜 이렇게 된 건가요.

◆고양이공주 : 난 아무것도 안했다냐. 정월 방송을 보면서 AFK하다가 문득 화면을 보니 준비가 다 끝나있었다냐.

◆아코 : 크, 큰일이었겠네요.

◆고양이공주 : 큰일이었다냐…… 어째서인지 처음 보는 사람도 엄청 많다냐…….

그야 뭐, 이벤트라고 생각하고 있을 가능성도 있으니까.

일단 줄을 서보고, 그 다음에 이거 무슨 이벤트인가요? 라고 선생님한테 물어봤겠지.

◆고양이공주 : 그런 것보다, 두 사람은 무슨 일인가냐? 겨울방학 숙제는 제대로 한 건가냐? 생활 리듬을 돌려놓는 편이 좋다냐.

아, 이야기가 좋지 않은 방향으로 나가고 있어!

◆†클라우드† : 이봐, 너희들. 시간은 한 사람당 30초다!

◆루시안 : 에에에엑?!

시간제한도 있어?!

뒤에서 온 클라우드 씨가 우리를 밀쳐냈다!

◆고양이공주 : 냐아아아! 아직 이야기는 안 끝났다냐!

◆아코 : 엑, 엑.

정말로 악수회잖아 이거!

우리는 무참하게 끌려 나와 귀환줄로 쫓겨났다.

◆루시안 : 이벤트가 참 너무하네.

◆아코 : 고양이공주 씨 괜찮은 걸까요?

◆루시안 : 스트레스가 상당히 쌓인 것 같던데.

걱정되네. 그 사람도 속에 담아두는 사람이니까.

연주를 들으면서 유저 상점을 돌아다니다 보니 대광장에 조명이 사라졌다.

◆루시안 : 응?

◆아코 : 이벤트를 진행하는 걸까요?

◆루시안 : 아니, 이거 이벤트가 아닌데.

단지 플레이어가 모여 있을 뿐이거든?

그쪽을 보자 못 보던 사이 행렬이 사라졌고, 악수 부스도 철거됐다.

그리고 어두웠던 조명이 켜지며 한 점에 모였다.

◆†클라우드† : 오늘 고양이공주 왕국 신년회에 잘 와주었다.

왕좌 옆에 선 클라우드 씨가 빛을 받으며 말했다.

◆†클라우드† : 올해도 우리 고양이공주 친위대는 우리의 여왕 고양이공주 님 곁에서 최선을 다할 것이다. 여기 있는 사람들도 다들 같은 마음이겠지!

오오! 하고 끓어오르고 있긴 한데, 왜 끓어오르는 건지 모르겠다.

왜 고양이공주 씨를 위해 최선을 다하는 건데, 이 사람들.

◆†클라우드† : 그럼 고양이공주 님의 인사를 듣도록 하자. 경청!

빛이 화악 밝아지며 광장 입구를 비췄다.

그곳에는 웨딩드레스 같은 새하얀 드레스를 입은 고양이공주 씨가 서 있었다.

◆아코 : 공주님 같네요.

◆루시안 : 뭐니 뭐니 해도 여왕님이니까.

고양이공주 씨는 빛나는 스포트라이트 안을 박수를 받으

며 걸었다.

말없이, 무표정하게, 천천히 옥좌 앞으로 나아갔다.

◆†클라우드† : 고개가 높다!

◆아코 : 에엑?!

◆루시안 : 이, 일단 앉을까?

앞사람이 앉는 걸 보고 우리도 무릎을 꿇고 앉았다.

우와, 다들 무릎을 꿇고 있어, 뭐야 이 광경.

◆고양이공주 : 이, 이건 대체 뭔가냐…….

고개를 숙인 플레이어들을 멍하니 둘러보던 고양이공주 씨가 중얼거렸다.

응, 정말 그래. 이거 대체 뭐하는 걸까.

◆†클라우드† : 자, 고양이공주 님. 한 말씀 부탁드립니다!

◆리미트 : 고양이공주 님!

◆루인 : 고양이공주 님!

◆카보땅 : 우리 왕국민에게 새해 인사말을!

◆고양이공주 : ………….

고양이공주 씨는 한동안 고개를 수그리고 있다가 홱 쳐들었다.

그리고 강렬한 눈동자를 빛내며 말했다.

◆고양이공주 : 왕국이라니, 뭔가냐.

◆†클라우드† : 엑.

◆유윤 : 고양이공주 님……?

왕국민이 굳어졌다. 일반 손님도, 그리고 우리도 굳어졌다.

고양이공주 씨? 왜, 왜 그러시죠?

**◆고양이공주 : 왕국이라니 대체 뭔가냐. 여기는 일본이다냐!**

의혹으로 가득 찬 분위기 속에서 고양이공주 씨의 채팅이 흘러나왔다.

**◆고양이공주 : 고양이공주 씨는 여왕 같은 게 아니다냐! 고양이공주 왕국 같은 건 없다냐, 국민 같은 건 없다냐! 다들 이제 그만 깨달으라냐!**

그리고는 쿵, 하고 크게 지면을 짓밟았다.

동시에 스스로 스킬을 발동했는지, 선생님은 빛나는 커다란 날개를 펼치며 단언했다.

**◆고양이공주 : 이제 그만두겠다냐! 끝이다냐!**

여왕이라기보다는 마치 여신처럼 날개를 활짝 펼친 선생님은 다시 단언했다.

**◆고양이공주 : 은퇴다냐! 고양이공주 씨는 누군가랑 결혼해서 평범한 고양이공주 씨로 돌아갈 거다냐!**

———.

빠지직, 하는 소리가 들린 것처럼 광장의 공기가 얼어붙었다.

◆†클라우드† : 고양이공주 니이이이이임?!

◆리미트 : 거짓말이야아아아아!

◆유윤 : 고양이공주 니이이이이이임!

◆고양이공주 : 이제 다 싫다냐아아아아아아!

고양이공주 왕국 신년회

비명과 함께 고양이공주 씨는 빛나는 이펙트를 내뿜으며 사라졌다.

아무래도 그 자리에서 로그아웃한 모양이다.

◆아코 : 어, 어쩌죠?

◆루시안 : 어쩌긴 뭘 어째…… 아니, 그보다…… 결혼……?

주변에서 웅성웅성 비슷한 대화가 들려왔다.

설마 고양이공주 씨가 결혼이라는 말을 할 줄이야…….

◆카보땅 : 지금 이건, 은퇴선언?

◆†클라우드† : 이럴 수가, 이렇게 갑자기…….

◆리미트 : 너무 지나쳤던 걸까…….

즐거운 신년회를 하던 성은 180도 뒤집혀서 마치 초상집 같은 분위기에 휩싸였다.

††† ††† †††

"이야기는 나도 들었다. 결혼하고 그만두겠다라…… 은퇴를 한다는 건가."

"결혼한다는 건, 역시 연인이 있었다는 걸까?"

새 학기 방과 후.

설마 하던 사태가 일어나서 긴급 개최된 현대통신전자 유희부 임시회의.

큰 뉴스였기 때문에 이미 어딘가에서 들은 것이리라. 세가와나 마스터도 이 건에 대해서는 알고 있는 것 같았다.

"하지만 누군가랑 결혼한다고 했었어. 진심인 걸까?"

"누구라도 상관없다는 말투였어요."

"네가 아니거든?"

"저는 루시안 말고는 싫어요!"

고맙다. 아코. 하지만 나와의 결혼은 조금 나중 이야기로 미루자.

하지만 그 고양이공주 씨가 결혼해서 게임을 은퇴한다니.

몇 번이나 함께 싸우고, 모험을 즐기기도 했는데.

"그냥 농담이라고 생각하는데."

"하지만 선생님은 어른이고, 결혼하지 않을 거라고 단언할 수도 없으니까."

선생님의 사생활에 대해서는 전혀 모른단 말이지.

"으음…… 하지만 사이토 교사도 결혼인가……."

마스터는 떨떠름한 얼굴로 신음했다.

"내가 결혼을 결의하는 이때 사이토 교사가 먼저 결혼 선언을 할 줄이야…… 이 패배감은 대체 뭐냐."

"신경 쓰는 게 그 부분인가요?"

"근데 그거 진짜로 진심이었어?"

"진심이라기보다는, 제정신이야?"

"내가 제정신이 아니었던 적이 있나?"

있느냐고 묻는다면 꽤 있었던 것 같은데.

"제정신이 광기였던 적이라면 몇 번 있었지."

"진지한 얼굴로 이상한 짓을 하니까요."

"부원들의 신뢰에 눈물이 날 것 같군."

진심으로 울 것 같은 얼굴이었다.

"결혼이라니 구체적으로 어쩔 셈인데. 바로 결혼할 거야?"

"한다기보다는, 목표로 하겠다는 생각이다. 솔직히 말해 나는 내 장래 설계에 『결혼』이라는 걸 집어넣지 않았었거든. 그것을 이제 넣는다는 소리지."

"아아, 그런 이야기구나."

세가와는 뭐야, 나중 일이구나, 라면서 재미없다는 듯이 말했다.

아니, 세가와. 거기서 방심하면 안 되지. 상대는 마스터라고.

"그 사이토 교사도 결혼을 생각하고 있다면 질 수는 없지!"

"고양이공주 선생님에게 대항의식을 불태우는 이유를 잘 모르겠어."

"같은 길마 아니냐."

길드의 인원수를 생각하면 카리스마 면에서는 완전 패배 상태 아닐까?

"하지만 그럼 역시 첫 참배 때의 그건 정말로 선생님의 남친이었을까?"

첫 참배 때를 떠올린 건지 세가와가 으음, 하고 고개를 갸웃했다.

“고양이공주 씨, 은근히 로그인률 높았는데…… 그럴 시간이 있었나……?”

“잘 시간이 되어서도 평범하게 있었는데요…….”

렙업 속도를 생각해 봐도 평범한 연애를 할 만한 생활 스타일로는 보이지 않았다.

“그건 확실히 그렇군. 먼저 그걸 확인해볼 필요가 있겠어. 게다가 나 개인적으로는 사이토 교사에게 지고 싶지 않다.”

아니, 확인하지 않아도 될 것 같은데.

게다가 어떻게 고양이공주 씨한테 이길 생각인데?

왠지 불안해진 내 마음을 뒷받침하듯이 마스터가 의기양양하게 웃었다.

“그런 점에서 좋은 생각이 떠올랐다. 이걸 봐다오.”

화이트보드를 빙글 돌리자 그곳에는 한 장의 포스터가 있었다.

“……마에가사키에 만남의 자리를?”

“마에가사키 거리 혼활, 오타혼 개최…….”

“……혼활?”

“그렇다!”

우리가 멍하니 중얼거리자 마스터는 씨익 웃으며 가슴을 폈다.

“놀랍게도 우리 마을 마에가사키에서 오타쿠 혼활 파티가

열리게 된 거다!"

"……그게 무슨 관계가 있는데?"

"내가 나간다."

"뭐?"

나간다고? 거기에? 오타쿠 혼활 파티에?

"벌써 참가등록은 마쳤다."

"행동 빨라! 결혼한다고 말을 꺼낸 지 며칠밖에 지나지 않았는데?!"

"결단 즉시 실행이라고 했을 텐데."

좀 더 잘 생각하라고! 평생 문제니까!

"그건 그렇고, 왜 굳이 오타쿠 혼활인 건데……."

"나 스스로도 사람들과 어울리는 게 서툴다는 건 자각하고 있다. 하지만 평범한 혼활 파티라면 어렵더라도 오타쿠 혼활이라면 내게도 가능하지 않을까?"

"으음……."

"음……."

무리, 라고 하려던 말을 삼키자 옆에서 아코도 비슷한 얼굴로 입을 다물고 있었다.

잘 참았네. 잘 했어. 나도 잘 했고.

"그만둬— 라고 하고 싶지만, 마스터의 자유니까. 그건 상관없어."

세가와가 손바닥을 팔랑팔랑 흔들며 말했다.

"근데 그게 고양이공주 선생님의 남친이랑 무슨 관련이 있는데?"

"선생님께도 같이 나갈 것을 부탁할 거다."

"같이 나간다고?!"

설마 하던 발언에 세가와조차 굳어져버렸다.

우와아, 이 사람, 나쁜 사람이야!

"어, 어떻게 같이 나가는 걸 부탁할 건데?"

"내가 나간다고 하면 학생들을 잘 보살펴주는 사이토 교사라면 같이 나가겠다고 하겠지. 여성은 참가비도 필요 없으니까."

그렇다고 해서 편하게 갈 수 있는 곳도 아니잖아.

아아, 하지만 고양이공주 씨라면 어쩔 수 없지냐, 알았어, 라고 말할 것 같다.

"그치만 연인이 있고 약혼했다면 나가지 않을 것 같은데?"

"거기까지 이야기가 진행됐다면야 나도 깔끔하게 패배를 인정하겠다."

아니, 순순히 인정하자고.

연령도 다르니 못 이긴다니까.

"하지만 특정 연인도 없이 그냥 누군가랑 결혼하고 싶다 정도의 의지력이라면 내가 여기서 깨부수겠다! 혼활 파티에서 현실 JK의 힘을 보여줘 남자를 모두 빼앗고 결혼 따위는 무리라는 걸 깨닫게 해주는 거다!"

"악랄한 소리를 하네!"

"마스터가 제대로 여고생으로 보일지 의문인데."

그보다 문제는 그게 아니다.

"진짜로 혼활 파티에 나갈 거야? 마스터는 아직 미성년이잖아."

"결혼은 할 수 있는 연령이다만?"

그야 그렇지만.

비슷한 연령에 결혼한 사람도 은근히 있긴 하지만.

"결혼은 좋은 거예요!"

"아코는 정말로 결혼 추진파네……."

"아코랑 동류가 된다면 위험해!"

"어디가 위험한가요?!"

내 주변의 상식이라든가.

"본심을 말하자면."

마스터가 살며시 중얼거렸다.

"혼자서 나가는 건 조금 불안하기 때문에 사이토 교사의 동행을 바라는 마음이 강하다."

"거기가 본심인가."

뭐, 마스터 혼자 보내는 건 이쪽도 불안하긴 하지만.

"그것도 그렇고 입장도 연령도 문제다. 진심으로 거기 가서 결혼하려는 건 아니야. 어차피 그 자리에는 동호인밖에 없으니까. 교우의 장을 늘리면 좋겠다는 마음이지."

"아하~, 그렇구나. 그런 이유였네."

세가와가 겨우 납득했다는 표정으로 어깨를 으쓱했다.

"친구를 만드는 파티보다는 혼활 파티 쪽이 편하겠네. 마스터한테는."

"아…… 그런가."

확실히 혼활 자리는 연령이나 수입 같은 것이 관련되니까 왠지 건조하고 진지한 느낌이 든다.

그건 아마 마스터에게는 단순히 친구를 찾는 파티 같은 것보다는 편한 공간일 것이다. 본인은 우수하다고 생각하고 있는 것 같으니까, 자신감도 있겠고.

그런 부분이 친구를 못 만드는 원인 같다는 기분도 드는데.

"마스터에게는 폭을 늘릴 기회도 되겠지만…… 고등학생 상대로 진지하게 임할 남자도 없을 텐데."

없겠지? 아마 없, 을 거다.

응. 역시 고양이공주 씨가 따라가 줬으면 좋겠네. 마스터 혼자라면 무섭다.

"그럼 작전 결행을 하는 걸로 괜찮나?"

"괘, 괜찮을까?"

그렇게 물은 마스터 뒤쪽에 있던 부실 문이 열렸다.

"얘들아, 새해 복 많이 받으렴."

우와, 왔어. 와버렸다고, 고양이공주 씨.

"아~."

"아, 안녕하세요."

"선생님……"

"왜 그러니? 너희들. 우와— 와버렸구나, 같은 표정으로."

잘도 눈치채셨네요.

우리 전원이 그렇게 생각하고 있었거든요.

"저기…… 고양이공주 선생님, 남친 있어?"

세가와가 대표, 랄 것까지는 아니지만 아무튼 물었다.

"……응? 갑자기 왜 그러니? 세가와."

"조, 조금 신경이 쓰여서. 어때? 선생님, 역시 있어?"

"없어."

선생님은 자연스러운 쓴웃음을 머금고 가볍게 손을 펼쳐서 우리에게 내밀었다.

"손이 가는 학생들밖에 없으니까, 그럴 여유는 없단다."

"……으음."

"위화감은 없네……."

"하지만 뻔하다는 느낌이 들어요."

"어떠냐. 모르겠지?"

마스터가 작은 목소리로 속삭였다.

"선생님에게서 본심을 듣는 건 어렵다. 같은 게임을 플레이하는 동료라고는 해도 게임 안에서는 현실 사정을 물을 수 없지. 평소에는 교사와 학생이지만, 사생활 이야기를 하는 건 한계가 있다. 하지만 혼활 자리에 나갈 경우 우리는 라이벌이면서도 동지다. 핵심을 이야기해줄 수도 있을 거다."

"저 대답을 들으니까 일리가 있다는 기분이 들기 시작했어."

"얼버무렸다는 느낌이 있었으니까요……."

저 깔끔한 변명이 반대로 구린 냄새가 났다. 아코의 마음도 조금 이해가 가는걸.

큭, 이렇게 되면 반대로 신경이 쓰인다. 진심으로 은퇴할 건가? 고양이공주 씨.

"마스터는 악녀네……."

"훗, 그 정도까지는 아니다."

그렇게 의기양양할 게 아니거든?

"그럼 마스터에게 맡길까."

"부탁할게, 마스터. 진실을 밝혀줘."

"음. 이 청부업자 애플리코트에게 맡겨둬라!"

그거 전혀 맡길 수 없는 패턴이잖아…….

"……나, 선생님다운 좋은 소리를 했다고 생각하는데……다들 왜 그러니? 남친이 어쩌고저쩌고, 무슨 관계라도 있나?"

선생님은 의심스러운 표정이었다.

거기서 빙글 돌아본 마스터가 어디에도 수상쩍은 부분은 없습니다, 라는 듯이 말했다.

"실은 말이죠. 선생님께 한 가지 부탁이 있습니다."

"부탁?"

마스터가 씨익 웃자 고양이공주 씨가 의아해했다.

아아, 틀렸어. 이건 이미 함정에 빠졌어.

마스터가 친 함정에 고양이공주 씨가 일직선으로 뛰어들었다.

그 다음은 말할 것도 없었다.

그저 결과만 말하자면.

"그렇게까지 말씀하신다면 선생님도 동행해주시겠습니까? 원래 두 명을 신청했습니다만, 아코와 슈바인은 싫다고 해서요."

"어쩔 수 없지냐…… 알았어."

나쁜 사람에게 속아 넘어가지 않았으면 좋겠네. 고양이공주 씨.

아니, 이미 속아 넘어간 건가…….

††† ††† †††

"그 회장이 바로 저기야."

"흠흠. 평범한 레스토랑이네요."

"게다가 대절한 게 아니라고 하니까 우리도 들어갈 수 있어."

작은 마을 이벤트인데다 오타혼이다.

참가자는 많지 않는 것 같아서, 가게 하나를 대절할 정도는 아닌 모양이었다.

평범한 거리 혼활이라면 한 곳, 아니 몇 곳 정도를 대여할 거라 생각하는데.

소규모네. 이 이벤트.

"소규모 이벤트니까 큰 문제는 일어나지 않을 거라 생각하지만, 그래도 상대는 마스터야. 서포트 팀 없이 혼자서 돌격하는 건 위험해."

"그렇겠네요."

내가 진지하게 말하자 아코가 순순히 끄덕였다.

이 대화를 마스터가 들었다면 아마 꽤 침울해졌겠지.

"그러니까 아코랑 나는 잠입 미션이야."

"스니킹 미션이네요! 식료는 모두 현지조달이에요!"

"잠입하는 곳이 레스토랑이니까."

찾을 필요도 없이 당연히 거기 있다.

"그리고 데이트네요!"

"그것 역시 사실이긴 하지만."

세가와에게도 권했지만 누가 오타혼 회장에 가겠느냐며 단칼에 거절당했다.

그야 그렇겠지. 그 녀석은 절대로 가고 싶지 않을 이벤트일 테니까. 명목상으로는.

"미팅 같은 것에는 인연이 없다고 생각해왔으니까 어떤 식으로 하는 건지 기대돼요."

"아니, 응…… 나도 아코는 가지 않는 편이 좋다고 생각해."

분명 녹아들지 못할 테니까. 응.

아무튼 간에 잠입하러 가자!

"안녕하세요……."

문을 열고 가게로 들어가자 짤랑짤랑 벨소리가 울리고, 바로 점원이 맞이했다.

"어서 오세요. 마에가사키 거리 혼활 이벤트의 손님……은 아니시네요. 실례했습니다."

"……네. 두 사람입니다."

나한테 딱 달라붙은 아코를 힐끔 본 여성 점원이 킥킥 웃었다.

맞긴 하지만, 부끄럽다.

"그럼 이쪽으로 오세요."

누님은 이벤트를 하고 있는 자리와 꽤 가까운 4인용 박스 시트로 안내해주었다. 오오, 고맙군 고마워.

"그럼, 마스터네는 어느 쪽이려나?"

"어어……앗!"

아코가 주변을 돌아보다가 내 뒤쪽으로 시선을 돌리더니 움찔 머리를 곤두세웠다.

그리고 바로 테이블 밑으로— 아니?! 너 뭐하는 거야?!

"왜, 왜 그래, 갑자기?!"

"쉬잇!"

입술에 손가락을 댄 아코가 내 다리 사이에 끼어들었다.

진짜로 아코 너 뭐하는 거냐고!

"……실례합니다."

"뭘?!"

오해할 것 같은 대사에 경직된 사이 아코는 테이블 밑에서 몸을 내밀어서 내 무릎 위로 이동했다.

"……어, 저기, 에에엑?!"

몰랑몰랑 부드럽고 따스한 것이 내 위에 올라타고, 머리가 아코의 머리카락에 덮였다.

이대로 먹혀버릴 것 같은 달콤한 향기가 나를 감싸서 의식이 어질어질했다.

뭐야 이거, 새로운 스킨십?! 화력이 너무 센데!

왠지 뭐랄까, 이대로 전부 내 멋대로 할 수 있을 것 같은 자세라 엄청 위험해!

"죄송해요. 바로 비킬게요."

그러나 아코는 그대로 허리를 들어서 내 위에서 벗어났다.

"이영, 차."

그리고 옆에 풀썩 앉았다.

"저, 저기, 지금 뭐였어?"

내가 멍하니 묻자 아코는 귓가에 얼굴을 갖다 댔다.

"마스터랑 선생님이 뒤에 있었어요."

"뭐?"

"뒤에요. 뒤."

아코가 저기저기, 라며 내 뒤쪽 자리를 가리켰다.

"……서, 설마 그런……."

사~알며시 뒤쪽을 봤다.

그러자 우울한 표정으로 물이 채워진 컵에 입을 대고 있는 정장 차림의 여성과, 꽤나 익숙한 드레스 차림을 한 유려한 얼굴의 여성이 나란히 앉아 있었다.

"왜 이렇게 된 건가냐……."

"핫핫핫."

게다가 왠지 냐아, 라고 말하고 있다. 잘난 듯이 웃고 있다.

"고양이공주 씨랑 마스터잖아, 저거……."

"굉장한 자리에 앉았네요. 딱 만났어요."

"너무 딱 들어맞아서 반대로 위험하다고."

언제 들켜도 이상하지 않다. 이래선 잠입이 아니잖아.

작은 목소리로 이야기하던 우리 앞에 스윽 그림자가…….

"주문은 정하셨나요?"

"—윽!"

깜짝 놀랐다! 깜짝 놀랐어!

아까 그 누님이 굉장히 흐뭇한 거라도 보는 얼굴로 주문을 받으러 왔다!

"아, 저기……."

게다가 갑자기 말을 걸어 와서 아코가 당황했다.

"그, 그럼…… 케이크랑 드링크바 두 사람이요. 아코, 뭐 먹을래?"

"모, 몽블랑."

"몽블랑하고 브라우니요."

"잘 알겠습니다. 드링크 쪽은 저쪽에서 자유롭게 가져가세요."

점원은 여전히 싱글벙글 웃으면서 돌아갔다.

"저런 풋풋한 느낌이 좋더라……."

게다가 그런 소리를 중얼거리는 것이 들려왔다.

우우, 왠지 착각하고 있네. 저 사람.

오타쿠 혼활하는 사람들과 비교한다면야 풋풋한 고등학생 커플로 보이겠지만…… 굳이 따지자면 평소에는 그냥 원숙한 부부거든요…….

"하아…… 미안, 대충 정했는데. 괜찮아?"

"네. 배가 고프면 밥도 먹자고요."

"장기전이 될 것 같으니까."

적어도 뒤쪽 두 사람이 돌아갈 때까지 확실히 확인해둬야 한다.

뒤쪽에서 들려오는 대화에 귀를 기울였다.

『여성이 움직이지 않아도 된다는 건 편하군요.』

『구석에서 얌전히 있을 수 없으니까 나는 별로 내키지 않지만.』

선생님이 이거야 원, 이라는 식으로 한숨을 내쉬었다.

그렇군. 선생님과 마스터가 나란히 앉아있어서 대체 뭔가

했는데, 반대편에 남자가 두 명 올 예정인가.

『괜찮지 않을까요? 선생님도 결혼을 생각하실 나이 아닙니까.』

『아직 일만으로도 벅차. 귀찮은 학생들밖에 없으니까.』

선생님은 주먹을 쥐고 마스터의 머리를 툭 건드리면서 쓴웃음을 지었다.

『개인적인 건 일단은 뒷전으로 미뤄야지.』

『결혼 예정은 없으시다?』

『없지. 상대도 없어. 선생님한테는 만남의 기회가 별로 없거든.』

여기서 찾을 생각도 없지만, 이라고 작은 목소리로 덧붙인다.

"으음. 남친이 있을 것 같은 분위기는 아니네."

"아쉽네요."

"아쉽다라…… 아쉬운 건가……?"

딱히 어느 쪽이라도 상관없는데.

그런 대화를 하던 중, 뒤쪽 자리에서 누군가가 앉는 기척이 났다.

『아, 선생님이신가요?』

『안녕하세요.』

남자들이 온 것 같았다. 그쪽 두 사람도 아는 사이인지 가벼운 모습으로 앉았다.

『잘 부탁합니다.』

『음.』

고양이공주 씨는 약간 곤혹스러워 하면서도 붙임성 좋은 미소를 지었지만, 마스터는 명백하게 긴장한 것 같았다.

대조적인 두 사람이네.

『그쪽 분은…… 어, 저기, 학생이신지?』

『음.』

마스터가 끄덕였다.

남자 두 사람은 호오, 그러신가요, 라고 말하면서 슬쩍 얼굴을 맞댔다.

『……학생이라니, 여대생인가?』

『젊어 보이고, 미인이고…… 저런 사람도 있구나.』

가까운 곳에 있어서 그런지 두 남자의 목소리는 작아도 확실히 들렸다.

"……왠지 열 받네."

"난입해서 엉망으로 만든다는 수단도 있는데요."

아코도 동감인 건지 떨떠름한 표정이었다.

"그것도 나름 괜찮지만, 처음부터 그래서는 마스터한테 실례인 것 같아."

"큭…… 그럼 한동안은 버티는 턴이네요."

어쩔 수 없지. 선생님도 있으니까 이건 넘어가자.

『흠흠…… 선생님 같은 분도 이런 곳에 오시네요. 만날 사람이 곤란하시지는 않을 것 같은데요.』

미묘한 느낌으로 시작된 대화.

이러니저러니 해도 남자들도 오타쿠 취향인 사람인지라 매끄럽게 대화를 하는 분위기는 아니었다.

『만나는 상대가 아이들뿐이라 어렵죠. 두 분이야말로 상대를 찾기 곤란해보이지는 않아 보이는데요.』

『그게, 좀처럼 취미가 맞는 사람이 없어서요.』

『이런 자리니까 가볍게 이야기할 수 있는 거죠.』

『이곳은 다들 비슷한 취향을 가졌으니까…… 특별히 좋아하는 게 있으신가요?』

『그게, 이쪽 계열이라면 뭐든 상관없죠. 아, 애니 같은 건 보시나요?』

『맞아맞다. 이번 분기에는 뭘 보시나요?』

『어어, 그 시골이 무대인…….』

『아, 그거 괜찮죠! 이번 분기 패권작도 가능할 거예요!』

『네가 좋아할 뿐이잖아.』

우와, 바로 분위기가 좋아졌어. 완전히 화기애애하잖아.

은근슬쩍 상대가 좋아하는 화제로 옮겨갔어. 이건 고양이 공주 씨의 대인 스킬일까, 아니면 교사의 기술일까?

그보다 처음 화제가 이거냐. 굉장하네, 오타쿠 혼활.

"……그러고 보니 아코는 애니 같은 거 보냐?"

"게임을 하고 있을 때 나오면 옆에 틀어놓고 보는데요."

“그냥 하면 보는 타입인가. 몰입해서 보지는 않고?”

“마음에 들면 보지만, 중간에 보는 걸 잊어버리면 거기서 포기해버려요.”

“하긴, 매주 빠짐없이 보는 것도 어려우니까.”

녹화해도 상관은 없지만, 그것도 잊어버리면 거기서 보지 않게 되는 경우도 흔하지.

우리가 그런 이야기를 하는 가운데서도 대화는 진행됐지만, 마스터는 그다지 즐겁게 보이지 않았다.

『그쪽…… 고쇼인? 씨는, 애니 같은 건 안 보는 쪽인가요?』

가슴에 달린 플레이트에 이름이 적혀있긴 하지만 읽기가 힘들었던 모양이다.

『아, 아아. 주로 게임을 하지.』

『오호, 게임이라면 드래헌이라든가?』

『아니, 온라인 게임이다. 이런저런 것들을 하고 있지만, LA가 메인이지.』

『LA 하고 있어?! 우리도! 어디 서버?』

오, 플레이어인가.

LA는 중견 정도의 규모라서 이런 자리에서 만나는 건 꽤 드물다.

『B섭이다만.』

『아, 나는 A야. 아쉽네. 직업 뭐야? 대미궁은 진행 중?』

『로우 위저드다. 친한 사람들끼리 막공으로 모여서 진행하고는 있지만, 아직 4웨이브가 최고기록이군.』

『아아, 4는 힘들지. 난 탱커인데, 힐러가 지쾨면 무조건 막히니까.』

“하읏?!”

“아아앗, 갑자기 날아온 눈먼 총알이 아코에게!”

완전 엉뚱한 곳에서 날아온 일격이 아코를 맞췄다.

“제, 제 탓인가요.”

“……부정은 못하지.”

“우우우우우우.”

현재 최고의 난관, 엔드 컨텐츠 던전에서 막힌 최고의 이유는 아코가 반드시 실수를 하기 때문이다.

보통 외부 힐러를 한 명 추가로 모집해서 도전하고 있기 때문에, 연계든 기술이든 장비든 문제가 많아서 클리어가 어려웠다.

확실히 맡길 수 있는 힐러가 또 한 명 있다면 다르겠지만.

『아, 미안. 사이토 씨. 모르는 이야기를 해서.』

『아니, 이쪽 사이토 씨도 힐러로 전 웨이브를 안정적으로 돌파하는 강자다만.』

『진짜로?! 힐러님 고마우시네!』

『힐러는 루틴워크니까, 오히려 탱커 쪽이 기억할 게 많아서 큰일이죠?』

『뭐, 그게 즐거운 부분이기도 하니까요.』

흥겨운 대화다.

으음. 끼어들어서 방해할 것까지는 없겠네. 평범하게 친근한 대화를 나누고 있고.

뭐야. 취미가 맞으면 이야기 곧잘 하네. 마스터.

『여기서 LA 플레이어와 만나다니 진짜로 레어 아니야?』

『그렇지?』

왠지 급격하게 분위기가 변했는걸.

그때 두 남자가 눈짓을 나누더니 몸을 확 내밀었다.

『어때? 앞으로 같이 하지 않을래? 뭣하면 우리가 서버를 바꿔도 되고!』

『라인 하고 있어? 서로 연락하자.』

어프로치에 들어갔다!

직결……은 아닌가. 원래 이런 자리니까.

"진지하게 나왔네……."

"인기 많네요…… 원망스러워라……."

"노려보지 말라고."

"—여기 케이크 나왔습니다."

우와아아아, 또 깜짝 놀랐다!

귀를 기울이면서 작은 목소리로 속삭이고 있으니 평범하게 말이 걸려오면 놀란다니까!

"으, 아, 네."

"여기 받으세요."

내 귓가에 얼굴을 대고 있던 아코가 몸을 움찔 떠는 것을 역시 흐뭇하게 바라보던 점원이 케이크를 놓았다.

으음. 우리는 부러움을 받는 쪽이 아닌가 싶은 생각이 조금 들었다.

『아니, 이상한 의미가 아니라 평범하게 친하게 지내고 싶다고 생각해서.』

『그렇지? 이런 곳에서 LA하고 있는 여자랑 만나다니, 운명을 느낀다니까.』

운명 좋아하시네, 라고 태클을 걸 수는 없었고.

듣고 있는 우리 뒤편에서는 이야기가 계속 진행됐다.

『어, 어어 저는 상관없지만, 이 아이는…….』

왠지 고양이공주 씨는 마스터를 지켜주려는 모양이었다.

"으음. 타이밍을 재서 도와주러 가야하나."

"마스터를 지켜주지 않으면 안 되잖아요."

주먹을 꽉 쥔 아코는 확실하게 도움이 되지 않기 때문에 할 거라면 내가 힘내야겠지.

『……흠, 두 분은 저와 우호를 다지고 싶은 거군.』

그때 마스터나 진지한 목소리로 말했다.

『그건 즉, 결혼을 염두에 두고 교제를 생각하고 있다는 건가.』

『……엥?』

남자들이 멍해졌다. 그야 멍해지겠지. 왜냐하면 아코 탓에 익숙한 나조차 상당히 놀랐으니까.

『현재 직장은…… 흠. 연수입은…….』

그 사람 앞에 놓여있는 자기소개 시트를 힐끔 본 마스터가 흠흠 끄덕였다.

혼활 파티니까, 직업이나 연수입 같은 게 전부 적혀있는 거겠지.

『……그렇다면 연령을 보고 생각하건대, 앞으로 5년 이내에는 커리어를 올리기 위한 전직도 내다보고 있는 건가.』

『아, 아니, 그런 건 그다지…….』

이야기의 흐름이 왠지 이상하게 돌아가기 시작했다.

『그럼 지금 직업에서 위를 노리시겠다. 즉, 최종적으로는 독립, 창업도 생각하시는지?』

『아, 아니아니…… 그보다 너는…… 으븝?!』

아, 한 명이 물을 뿜었다.

밑에 놓여있던 마스터의 경력을 본 것 같다.

『엥? 어, 아…… 우와, 허어.』

이제 무슨 표정을 지어야할지 모르겠다는 상태가 되었군.

직업 고등학생, 연수입 천만이라고 적혀있는 영문 모를 여자아이한테 커리어를 올리니 어쩌니 하는 질문세례를 받는다면 저런 리액션을 취하겠지…… 평생 알고 싶지 않았던 지식이다.

『아, 저기, 저희는 슬슬 이동할게요.』

『어, 응. 유이 씨한테는 여기…….』

『제 것도, 괜찮다면 연락 주세요.』

『네. 고맙습니다.』

도망치듯이 명함 대용의 카드를 건네자 고양이공주 씨는 쓴웃음과 함께 받았다.

자기 걸 건네주지 않는 게 대답이나 다름없다는 거겠지. 두 남자는 조금 시무룩하게 다른 자리로 이동했다.

아니, 그것만이 아닌가.

『그 말투는 좋지 않았던 거 아니니?』

고양이공주 씨가 조금 타이르듯이 말했다.

『딱히 질책한 건 아닙니다. 그저 장래의 전망을 듣고 싶었을 뿐이죠.』

『그런 걸 제대로 생각하는 사람은 좀처럼 없을 거야.』

『그런가요? 루시안에게 물었을 때는 만족스러운 대답을 들었습니다만.』

"엑?"

갑자기 이름이 나와서 반사적으로 목소리가 나왔다.

"뭘 물어본 건가요?"

"아니, 기억 안 나는데."

마스터가 가끔 이상하게 진지한 이야기를 한 적은 있지만, 아마 대충 대답했을 거다.

당시 내가 좋은 대답을 했다면 좋긴 하겠지만.

『니시무라가 뭐라고 대답했길래?』

『그는 승진이나 창업, 무모한 상승은 바라지 않는다고 대답했었죠.』

“…………”

과거의 나, 글러먹었잖아.

『방금 저 사람하고 다르지 않은 것 같은데?』

그, 그렇죠? 라고 생각했지만 마스터는 고개를 저었다.

『루시안은 이유가 확실했습니다. 자신의 장래계획보다도 파트너와 보낼 수 있는 시간을 가지는 것이 보다 좋은 미래를 만들 수 있을 거라 말했죠. 일보다 가정이라는 것도 또 하나의 형태일 겁니다. 제가 반려를 찾는다면 그런 생각을 가진 남성이 바람직하겠죠.』

『그건 아코랑 함께 있는 시간이 줄면 그 아이가 뭘 저지를지 모른다……는 이유도 있지 않을까냐.』

……네. 그런 의미입니다.

그 후에도 몇 쌍의 남성이 찾아왔지만 똑같은 루프가 반복됐다.

이야기가 활기를 띠고, 조금 구체적인 이야기가 나오면—.

『투자는 하고 계십니까?』

『커리어를 올리는 방향성으로 무슨 생각을 하시는지?』

『호오, 그럼 최종적으로는 창업과 그걸 위한 파트너를 찾고 계시다?』

『장차 임원이 되고자 하시는 겁니까. 그럼 지금 시점에서 최저라도—.』

그리고 모두 고양이공주 씨한테만 카드를 건네주고 도망쳤다.

모두 끝났을 때, 마스터의 곁에는 아무것도 없고, 고양이공주 씨한테만 한 다발 정도의 카드가 쌓여 있었다.

아니 뭐, 영문 모를 고등학생보다는 말하기 편한 느낌의 여교사 쪽이 반응이 좋겠지.

"자자, 일어나."

"뉴우."

도중에 질려서 자버린 아코를 깨워서 뒤를 가리켰다.

"저런 느낌이 됐어."

"와아…… 고양이공주 씨한테만 모였네요."

"이것 참, 엄청 차이가 생겼네."

『그러네.』

움찔 어깨가 떨렸다.

요 몇 시간 동안 들은 목소리지만, 대답이 들릴 줄은 몰랐으니까.

서, 설마…… 하는 생각에 천천히 돌아보자…….

『나도 아직 못 써먹을 정도는 아니다냐. 루시안.』

카드를 부채처럼 좌르륵 펼친 선생님이 씨익 웃고 있었다.

역시 들켰군요~.

들키긴 했지만, 그렇게 숨길 필요가 있었던 것도 아니다.
역시 마스터가 걱정됐으니까 그 점에서 이의는 없다는 거겠지. 선생님도 쓴웃음을 지을 뿐이었다.
"어째서냐. 나이도 어리고, 수입도 많건만. 이것이 커뮤니케이션 능력……!"
"능력이 부족했다기보다는 오히려 그게 마이너스 방향으로 가버린 게 아닐까. 마스터."
"마스터한테 친근감이 들어요."
"으으음."
마스터는 납득이 안 간다는 표정으로 신음했다.
"이제 결혼 같은 건 포기하는 게 어때? 진심은 아니었잖아?"
"결혼을 생각하고 있는 건 사실이다."
"진짜로? 그 나이에?"
"어머니가 아버지와 약혼을 한 건 나 정도의 연령이었다고 들었다만."
"……그렇군."
하긴, 그런 집안이었지!

††† ††† †††

"설마 질 줄은 몰랐다."

"JK 대승리였네요."

"승리한 JK가 여고생이 아니라 여교사이긴 했지만."#5

상식적으로 생각해서 마스터가 인기 많을 리가 없잖아, 라는 부분을 깨달았어야 했다.

"으음. 저는 마스터가 돈이 목적인 남자들에게 시달려서 남자 따위는 필요 없다! 결혼 같은 건 때려치우겠다! 라고 말할 거라 생각했는데, 설마 상대도 되어주지 않을 줄은 몰랐어요."

"세상은 돈이 전부가 아니었다는 거겠지…… 하하하……."

"웃지 마…… 울고 싶을 때는 울어도 돼……."

"이 정도로 울 생각은 없다만…… 포기하는 편이 나을 것 같다는 기분은 드는군……."

포기하면 편해. 여기서 시합종료하자.

서두르지 말고, 다른 부분부터 천천히 노력하자고?

"뭐, 그게 좋아. 남들하고 어울리지도 못하는 사람이 그대로 결혼했다가는 불행한 미래밖에 보이지 않잖아?"

"그럴지도 모르지. 그럴지도 모르지만…… 사실 조금 곤란한 일이 생겨서 말이다."

"고, 곤란한 일?"

마스터가 곤란한 일이라는 말을 꺼냈다면 그건 정말로 곤

#5 JK 일본어로 여고생과 여교사 모두 「JK」라고 줄일 수 있다.

란한 일인 게…….

"적극적으로 결혼할 상대를 찾고 있다고 부모님께 전했더니 정말로 기뻐하셔서 말이다. 이대로 가면 멋대로 상대를 정해버리실 기세여서."

"정말로 곤란하잖아, 그거!"

"저질렀다구☆"

"웃을 때가 아냐!"

"리얼 결혼 오나요?!"

아코 넌 왜 기대하는 말투인데?!

"하지만 부모님이 정해준 상대와 결혼해봐야 이겼다고는 할 수 없다. 내가 스스로의 매력으로 상대를 붙잡아야 승리겠지."

"그건 우리가 끼어들 일이 아니지만…… 큰일로 만들지는 말아줘."

"무슨 일이 생기면 말해주고."

"핫핫핫, 걱정 마라. 내가 해결하지 못하는 문제 같은 건 별로 없다!"

"훨씬 걱정되잖아!"

말은 이렇게 해도 너무 끼어드는 것도 미안하니까.

우리는 미묘한 얼굴로 가슴을 펴는 마스터를 바라봤다.

"뭐, 나에 대해서는 넘어가자. 문제는 사이토 교사로군."

"그러네. 혼활 파티는 어땠어?"

평소 그대로의 고양이공주 씨라는 느낌이었지.

"으음. 그냥 봤을 때는 결혼이나 혼활 같은 게 내키지 않는다는 느낌은 없었다."

"그랬죠. 짜증날 정도로 인기가 많았고요…… 역시 저랑 정반대인, 밝고 커뮤니케이션 능력이 뛰어나고 스포츠도 잘하는 사람은 그런 곳에서 빛나 보이더라고요…… 후후후후후후."

"진정해, 아코!"

고양이공주 씨한테 어그로를 쌓을 때가 아니라고!

"그럼 정말로 결혼해서 은퇴할 것 같은 분위기였어?"

"아니라고 딱 잘라 말할 수는 없는 정도려나."

마스터를 지원해준 결과 인기를 모았다는 부분도 있었으니까.

"하지만 결혼 은퇴 선언이 진심이었다면, 나는 곤란한 짓을 해버렸을지도 모르겠군."

"응? 어째서?"

"생각해봐라. 지금 사이토 교사의 손에 뭐가 있는지를."

"뭐냐니……."

"뭔가 있었던가?"

"있지 않나! 어제 파티에서 건네받은 대량의 명함 카드가!"

아, 아아아아아앗!

맞다. 그 사람은 지금 결혼을 전제로 사귀고 싶은 사람

후보를 마음껏 고를 수 있는 연애 강자.

"진심이라면 진짜로 결혼할 수 있잖아!"

"우와아, 무섭네."

"설마 하는 생각은 들지만요……."

나, 이 사람과 결혼하겠다냐! 라고 웃으며 말하는 고양이 공주 씨의 모습이 뇌리를 스쳤다.

"연인이 있을지도 모르고, 수단도 얼마든지 있다는 건가."

결혼해버릴 수 있겠네…… 해버린다는 말투는 이상하지만…… 해버릴 수 있겠네…….

"가령 선생님의 결혼이 진심이라고 한다면…… 결혼해서 퇴직할 수도 있는 게……."

맞다. 결혼해서 은퇴하는 건 게임에만 한정된 게 아니다.

일도 그만둘 수 있잖아!

"에에에엑, 그건 곤란해!"

"고문이 사라져버리겠군."

응. 곤란하다.

원래부터 아무도 받아주지 않던 걸 억지로 부탁한 고문이다.

고양이공주 씨가 사라져버리면 우리 부는 망할지도 모른다.

"결혼한다고 해서 선생님을 그만둘 거라고 정해진 건 아니잖아! 아직 몰라!"

"하지만 예를 들어 아이가 생겨서 그만둔다, 같은 일은 생길 수 있지 않을까요?"

"그렇게 되면 대역을 부탁할만한 교사 후보는……."

"…………."

"………………."

그런 선생님, 있을 리가 없잖아.

축하해야 할 이야기이건만, 무거운 분위기가 감돌았다.

"……하지만 사이토 교사에게는 신세를 지고 있다. 그 분이 행복하다면 꼭 응원하고 싶다."

"맞아요. 결혼은 행복한 거라고요!"

마스터와 아코는 응원해주고 싶은 모양인지 복잡한 표정을 지으면서도 동의를 나타냈다.

"하지만, 말이지……."

어째서일까. 솔직하게 축하하고 싶은 마음이 좀처럼 들지 않았다.

"그렇게 간단히 말하지만! 그러면 곤란해진다고!"

세가와는 트윈테일을 좌우로 흔들면서 크게 고개를 내저었다.

그리고 확 양손을 들고는 부실을 가리키며 말했다.

"그치만, 사라지잖아! 이 부활동! 온라인 게임부!"

"……그러네요. 부실, 사라져버리겠네요."

사라진다. 여기가. 우리의 부실이, 우리의 부활동이.

"그야 처음에는 마지못해 들어왔지만, 꽃다운 여고생 시절을 온라인 게임부에서 끝내다니 말도 안 된다고 생각했지만! 그래도 너희들과 모니터 앞에 둘러앉아 바보짓도 벌이고! 평소에는 하지 못하던 말도 하고, 하고 싶었지만 숨기던 것도 전부 해서…… 굉장히, 굉장히 즐거웠단 말이야!"

"슈……."

"그게 사라지는 거라고! 알기는 하는 거야!"

"…………."

얼굴을 새빨갛게 물들이며 말하는 세가와의 얼굴을 바라봤다.

"여기가 사라지면 어쩔 건데? 우리는 어디서 만나냐고?! 우리의 『여느 때』는 어디로 가야 하는 거냔 말이야!"

그건…… 싫다.

세가와의 말을 들자 우리에게도 뜨거운 마음이 깃드는 것 같았다.

"또 옛날처럼 평범한 동급생으로 돌아갈 거야? 그건 싫어!"

"저, 저도 싫어요!"

아코가 슈~우~, 라며 달라붙었다.

세가와는 조금 높은 위치에 있는 머리를 스윽스윽 어루만지며 호소했다.

"고양이공주 선생님도, 이러니저러니 해도 즐거워보였잖아. 줄곧 함께 있는 건 아니었지만, 적어도 학교에 있을 때만은 선생님이랑 함께 있었잖아!"

"……그렇지. 사이토 교사도 어엿한 부의 일원이다."

우리의 마음이 세가와를 중심으로 모였다.

그래. 그저 체념하듯이 축하하자니, 그런 건 슬프다.

"게다가, 게다가, 어어…… 맞다. 컴퓨터! 내 워 머신도 못 쓰게 된다고!"

—아, 그것도 이유구나.

"……아."

"슈, 그건……."

"자기 사정 아니냐……."

"어라?"

그 마음이 순식간에 어딘가로 가버렸다.

눈물짓던 마스터의 얼굴이 평소대로 돌아갔고, 끌어안고 있던 아코가 슬금슬금 떨어졌다.

"헉, 아니, 그게 아니라!"

자기가 해서는 안 되는 말을 해버렸다는 걸 깨달았는지 세가와가 허둥지둥 양손을 휘저으며 우리를 돌아봤다.

"아니, 아니라니까! 그건 마지막에 떠오른 거야! 달리 뭔가 이유가 없는지 생각하다가, 가장 아무래도 좋은 걸 나중에 말한 것뿐이거든!"

"알고 있어, 알고는 있지만……."

"순서가 너무나도 어긋나서 말이다."

"힘이 빠져버렸어요."

하아, 하고 함께 한숨을 내쉰 우리는 힘없이 얼굴을 마주 봤다.

뭐랄까, 될 대로 되라는 느낌이다.

“아무튼, 마지막으로 감사 정도는 하자고.”

“……그러네. 제대로 이별 인사는 해야지.”

“음. 예의를 보이도록 하자.”

“그래야겠네요. 신세를 엄청 많이 졌으니까요.”

울적한 마음으로 입구 쪽을 보며 나란히 섰다.

잠시 기다리자 드디어 그때가 찾아왔다.

“안녕~ 다들 제대로 부활동 하고 있니?”

평소처럼 고양이공주 씨가 느긋하게 부실로 들어왔다.

그녀를 향해 우리는 입을 모아 말했다.

“선생님, 지금까지 감사했습니다!”

“……응?”

멍하니 굳어진 선생님에게 우리는 순서대로 고개를 숙였다.

“정말로 신세 많이 졌습니다. 선생님.”

“고양이공주 선생님, 지금까지, 고마워…….”

“사이토 교사는 절대 잊지 않겠습니다. 언제까지나 동료입니다.”

“감사했어요. 선생님이 안 계시더라도 열심히 학교에 올게요!”

“어, ……왜, 왜 그러니? 무슨 일이야?”

고양이공주 씨는 왠지 안절부절 못하면서 눈을 깜빡였다.

왜 저러지? 나랑 아코 앞에서 그렇게나 당당히 결혼 선언을 했는데.

"왜, 왜 갑자기 내가 그만두는 분위기인가냐?! 해고인가냐?!"

"네? 아니, 그게 아니라, 사이토 교사는 결혼해서 퇴직할 거라 들어서—."

"무슨 소리인가냐아아아아아아아아아."

……어라?

"아, 아닌 건가요?"

"당연하다냐! 그 혼활 파티는 고쇼인이 이상한 남자한테 걸리지 않게 하려고 참가했을 뿐이다냐!"

그건 알고 있지만, 그게 아니라—.

"그때 신년회 도중에 결혼해서 그만둔다고, 평범한 고양이 공주 씨로 돌아간다고 했었잖아요! 저희도 들었다고요!"

"고양이공주 선생님, 누구랑 결혼하는데? 첫 참배 때 그 남자?"

"아니면 그 카드 준 사람들 중에서 결혼하는 건가요?"

"…………."

우리가 질문공세를 퍼붓자 고양이공주 씨는 뭔가를 꾹 삼켰다.

그리고는 크게 입을 열고, 말했다.

"그건, 게임, 이야기다냐아아아아!"
고양이공주 씨의 고함소리가 부실에 울려 퍼졌다.
아, 그런 거였어?

††† ††† †††

"까, 깜짝 놀랐다냐. 상대가 고쇼인이면 역시 장난으로 받아들일 수 없다냐."
무섭지. 응. 진심으로 해고해버릴 것 같은 사람이니까.
"선생님. 첫 참배 때 같이 있던 남자는 누구인가요?"
"그건 카와노 선생님이야. 정월부터 학생들이 너무 풀어지지 않나 감시하고 있었어."
"아, 카와노치!"
"선생님을 별명으로 부르는 건 그만두렴."
그랬던 건가. 여름 축제 같은 곳에서도 업무의 일환으로 순회를 돌긴 하지. 그런 거였구나.
하지만 그렇게 생각해 보면 반대로 의문이 솟구친다.
"그럼 왜 게임 속에서 결혼한다는 말을 꺼냈던 건가요?"
"…………."
내가 묻자마자 왠지 뒤쪽에 있던 아코에게서 얼음처럼 차가운 기척이 흐르고 있습니다만!
아니, 내 프러포즈는 거절했으면서, 같은 의미로 묻고 있는 게 아니거든?!

"…………음!"

"…………."

말없이 고개를 저으며 변명하자 아코는 고양이공주 씨에게서 나를 감싸듯이 앞으로 나섰다.

그러니까 그게 아니라고!

"고양이공주 씨가 왜 결혼을 하는가…… 그건 듣는 것도 눈물, 말하는 것도 눈물 나는 기나긴 이야기다냐. 들어주라냐."

선생님이 고개를 숙이며 말했다.

"실은……."

그렇게 입을 열었을 때 세가와가 슬쩍 끼어들었다.

"슬슬 친위대가 귀찮아졌을 뿐이잖아."

"한 마디로! 요약하지! 말라냐!"

"니아아아아아아아악!"

바로 까발린 세가와에게 헤드록을 걸면서 고양이공주 씨는 어흠 헛기침을 했다.

저, 저기, 그대로 이야기할 건가요?

"시작은 작년 봄. 오랜만에 로그인했더니 은퇴 전에 소속해있던 길드가 사라져 있었다냐."

내가 옥쇄해서 탈퇴한 뒤, 고양이공주 씨도 그다지 로그인하지 않게 되었다.

지금 생각해보면 교육실습 등등 이런저런 것들을 시작하

기 전이라 바쁜 시기였을 것이다.

그리고 그것과는 딱히 상관없이 길원들이 로그인하지 않게 되었다고 한다.

"그 길드, 자연소멸해서 해산된 것 같더라고요."

그것 자체는 자주 있는 일이다.

사람들의 접속률이 내려가고, 쓸쓸하니까 이적하는 사람이 속출하다가 정신이 들자 다들 사라져있다. 평범한 길드 붕괴의 모습이다.

"냐아. 그건 알고 있다냐. 하지만 모처럼 돌아왔으니 옛날 친구를 만나고 싶어서 게임 안에서 동호회를 만들었는데…… 왠지 흥에 겨워져서……."

"정신이 들고 보니 길드를 만들게 되었다는 건가요."

"그렇다냐."

모임 장소를 찾아다녔을 때 보게 된 그게 초기니까, 고양이공주 친위대도 나름대로 길게 이어져오고 있는 셈이다. 하루 한정 길드가 되지는 않았던 것이다.

"원래 다른 길드에 있던 사람들이 축제 감각으로 모였다냐. 그래서 다들 제대로 소속된 길드가 있었는데 뽑아온 것 같아서 미안했다냐."

"서브캐로 들어온 사람도 있었던 것 같으니까 괜찮을 거라 생각하는데요."

"게다가 커지니까 사람들이 더 모여들어서…… 유명해지

고…… 때때로 남들에게 민폐를 끼치기도 했다냐. 축제 감각으로 남들을 말려들게 만들면 안 된다냐."

민폐인지 어떤지는 둘째 치고, 여러모로 저지르긴 했었지.

은연중에 이벤트 길드 같은 취급을 받게 되었을지도 모른다.

"그러니까 적당한 타이밍에 매듭을 짓지 않으면 안 된다냐. 그리운 추억은 추억으로 끝내고, 다들 스스로의 길을 걸어야 한다냐. 그걸 위해서는 고양이공주 씨가 원만한 형태로 상징에서 내려오는 게 가장 좋다냐."

"그래서 결혼한다는 말을 꺼냈던 건가요."

"냐아. 아이돌 취급은 끝이다냐."

"과연. 그런 생각이 있었던 겁니까."

아코와 마스터가 흠흠 고개를 끄덕였지만 세가와의 안색이 점점 위험한데…… 저 녀석 괜찮은가요?

재 재, 라고 손가락을 가리키자 선생님의 팔이 약간 풀어졌다.

"그러니까 이제 고양이공주 씨는 평범한 여자아이로 돌아갈 거다냐."

"여자아이라기엔 나이가…… 아야야야야야얏."

"모처럼 빠져나올 수 있었는데, 넌 왜 쓸데없는 소리를 하냐고……."

세가와는 내버려두자. 응.

"그건 그렇고, 설마 현실 결혼이라고 생각했을 줄은 몰랐다냐. 루시안과는 다르다냐."

"무슨 의미입니까 그거."

아직 현실 결혼은 안 했거든요?

"그보다 오해한 건 우리만이 아닌데요?"

"냐?"

켜둔 상태였던 부실 컴퓨터를 이용해 내 캐릭터를 고양이공주 친위대 성으로 보냈다.

장식이 그대로 달려있는 성으로 들어가자—.

◆†클라우드† : ………….

◆유윤 : ………….

여전히 성 안은 초상집 상태였다.

◆유윤 : 아, 루시안…… 고양이공주 씨 봤어?

◆†클라우드† : 고양이공주 님, 로그인을 안 하셔…… 진짜로 은퇴인가…….

◆카보땅 : 이런 거 진짜로 싫어했던 건가…….

"……보세요. 분위기가 심각하잖아요."

"설마 다들 착각할 줄은 몰랐다냐."

그만두겠다는 소리를 여왕을 그만둔다는 걸로 받아들이는 건 좀 어렵지.

"바로 가겠다냐."

선생님이 자기 컴퓨터를 켜서 화면을 마주 봤다.

그리고 고양이공주 씨가 로그인해서 옥좌에 나타난 순간,

공간 전체가 흔들렸다.

◆†클라우드† : ……고양이공주 님! 고양이공주 님이 돌아오셨다!

◆유윤 : 여왕님!

고양이공주 씨는 그걸 그만두라고 한 건데 말이지.

◆고양이공주 : 다들 착각하는 것 같은데, 고양이공주 씨는 딱히 은퇴할 생각은 없다냐.

◆루시안 : ……그렇다는데?

◆유윤 : 뭐……라고……! 어떻게 된 거냐, 루시안!

◆카보땅 : 정말인가요, 고양이공주 씨!

◆루시안 : 자세하게 설명하면 길어지는데.

이러쿵저러쿵 대충 설명하자 역시 그들도 찔리는 점이 있었던 모양이었다.

◆유윤 : 그렇게까지 싫어하셨다니…….

◆루인 : 짓궂은 장난이 너무 지나쳐서…….

◆†클라우드† : 정말 죄송합니다.

왠지 클라우드 씨 캐릭터가 망가졌는데. 평범하게 사과하다니.

◆고양이공주 : 괜찮다냐 괜찮다냐.

고양이공주 씨는 흔들흔들 귀엽게 고개를 내저었다.

◆고양이공주 : 딱히 화가 난 건 아니다냐. 단지 이 길드는 이제 역할을 마쳤다냐. 다들 각자의 관계를 소중히 하고, 만

나고 싶을 때 여기서 만나자냐.

고양이공주 씨의 말에 친위대 사람들은 조용히 끄덕였다.

◆유윤 : 예전 길드로 돌아갈까…….

◆리미트 : 대미궁도 도중이고.

◆카보땅 : 왠지 옛날 같아서 즐거웠어.

애수에 잠긴 채 한 명, 또 한 명 일어섰다.

◆고양이공주 : 다들 잘 가라냐…… 분명 또 언제라도 여기서 만날 수 있다냐…….

응응, 잘 됐군 잘 됐어.

이렇게 또 하나, 전설의 길드가 사라지는구나.

◆카보땅 : 그런데 결혼은 누구랑 하나요?

그때 카보땅이 그런 소리를 꺼냈다.

◆†클라우드† : 화, 확실히.

◆유윤 : 설마.

모두 순간적으로 나를 보더니 바로 시선을 돌렸다.

◆†클라우드† : 아니, 아니겠지.

◆유윤 : 응. 아니야.

◆루시안 : 확실히 아니지만, 뭐야 이 반응은.

어차피 나랑 고양이공주 씨는 전혀 어울리지 않는다는 말투였다.

조금 울컥했지만, 장비란에 있는 반지를 힐끔 보고 왠지 모르게 만족했다.

나에게는 아코가 있는걸. 내 공주는 아코인걸. 진짜로 Princess인걸.

◆고양이공주 : 결혼 상대는…… 저기, 아직 정하지 않았다냐.

◆카보땅 : 어, 정하지 않은 건가요?

◆고양이공주 : 루시안하고 아코가 같이 온 걸 보고 기세를 타고 그냥 말한 거여서…….

◆카보땅 : 그렇다는 건…… 우리에게도 찬스가?!

◆고양이공주 : 냐, 냐냣?!

아, 왠지 분위기가 이상하게 돌아가는데.

다른 말로 하면, 재미있는 분위기가 되었다.

◆유윤 : 그렇구나. 그럼 내가 고양이공주 씨랑 결혼을―.

◆루인 : 아니아니 내가.

◆카보땅 : 그럴 바에는 내가 할래.

◆유윤 : 그럼 하시죠…… 라고는 안 할 거야.

◆루인 : 그보다 유윤 넌 결혼했잖아.

◆유윤 : 그 녀석은 남자니까 괜찮아!

그 불륜은 대체 무슨 논리야.

◆†클라우드† : 기다려라, 너희들!

추한 싸움을 멈춘 클라우드 씨가 당당히 말했다.

◆†클라우드† : 이런 싸움이 문제가 되는 걸 고양이공주 여왕님…… 아니, 우리의 친구, 고양이공주 씨는 바라지 않을 거다! 너희들도 알고 있을 텐데!

그래, 맞아, 라는 수수께끼의 합창이 들려왔다.

상징이 사라졌어도 고양이공주 친위대의 결속은 그다지 풀어지지 않은 모양이다.

◆†클라우드† : 그렇다면 이 문제— 정정당당하게 싸워서 결정해야 하지 않겠는가!

그는 커다란 검을 부웅 휘두르며 마치 진정한 주인공처럼 외쳤다.

◆†클라우드† : 고양이공주 친위대의 초대 길드마스터인 나, †클라우드†가 여기서 선언한다! 고양이공주 씨 결혼 상대 쟁탈대회를 개최하겠다!

무려, 전체 외치기로.

◆루시안 : 우와아…….

◆유윤 : 우오오오오오오!

◆루인 : 좋았어어어!

◆리미트 : 고양이공주 씨는 내 신부다!

잠시 침묵하던 고양이공주 씨가 마지막으로 외쳤다.

◆고양이공주 : 이런 일을 벌이기 싫어서 그만두겠다고 한 거다냐아아아아아아!

"왜 이렇게 되는 건가냐아아아아아아!"

이미 전부 뒤늦은 일이었다.

# 2장

# 고양이공주 퀘스트

And you thought there is Never a girl online?

사람이 많다는 건, 여러 스킬을 가진 사람이 있다는 뜻이다.
게다가 베테랑 온라인 게임 플레이어가 많은 길드라면 한층 그런 경향이 현저하다.
즉, 무슨 일이 벌어지느냐 하면…….
“벌써 결혼 상대 쟁탈대회 홈페이지까지 생겼더라.”
“참가자 등록 페이지도 그럴싸하게 만들어졌군…….”
“아직 그리 오래 지나지도 않았는데…….”
“이런 재빠른 수완은 바라지 않았다냐!”
친위대원이 하룻밤 만에 해주었습니다.
고양이공주 씨의 결혼 상대 쟁탈대회는 단 하루 만에 홈페이지까지 만들어졌고, 참가자 등록 페이지도 제대로 정비되었다.
베테랑 온라인 게임 플레이어 중에는 프로그래머도 끼어 있는 경우가 많기 때문에 잠깐 눈을 떼어놓으면 이런 일이 벌어진다.
“한가로움을 주체하지 못한 신들의 장난이네요!”
“아니, IT관련 사람들은 대부분 바쁠 거라 생각하는데.”
“얼마 되지 않는 여가시간을 이런 데다 낭비하지 말았으면 좋겠다냐……."

고양이공주 씨는 시무룩해졌다.

마지막의 마지막까지 큰일을 벌인다니까. 이 사람의 길드.

"애초에 이렇게 이상한 이벤트를 하지 못하게 하려고 은퇴한다고 말한 거다냐. 이 상황은 이상하다냐."

"반대로 마지막까지 제대로 하지 않으면 은퇴하지 못하는 거 아닐까?"

"인과로군요. 사이토 교사……."

딱하긴 하지만, 이렇게까지 고지된 이상 도망칠 수 없다.

대회를 할 수밖에 없겠지.

"고양이공주 씨는 이 대회에서 이긴 사람과 결혼해야만 하는 건가요?"

"그렇긴 한데, 왜 그래? 아코."

"저기, 이것 좀 봐주세요."

대회 공식 홈페이지를 보던 아코가 어떤 페이지 중 하나를 열었다.

"어어, 참가자 일람…… 현재 등록 팀 15…… 15팀?!"

"그렇게 참가자가 많아?!"

"그보다 팀이라니 대체 뭔가냐?!"

"그게, 예상보다 참가자가 많기 때문에 대표자 한 명, 그 외 세 명으로 팀전을 한다고……."

"이게 뭔 시스템이야!"

대체 왜 결혼 상대를 고르는 대회가 팀전이 된 거냐고!

이 서버 녀석들은 정말로 이벤트에 굶주렸구만!

"그것만이 아니라 참가 팀을 봐주세요."

"먼저 팀 고양이공주 친위대…… 평범하네. 다음으로 팀 TMW, 대표자는 검은 마술사?!"

그 사람 뭐하는 짓이야?! 결혼하고 싶은 거야?!

"팀 엠퍼러 소드…… 팀 청소조합……."

"싸웠던 기억밖에 없는 길드다냐. 절대로 결혼하고 싶지 않다냐."

"이건 원한을 풀러 온 걸까요?"

"결혼했다간 괴롭힘을 당할 것 같아."

"그다지 심각한 이유가 있어서 참가한 건 아니라고 생각한다만……."

대인전 길드는 대부분이 축제를 좋아하니까.

"그리고 팀 발렌슈타인, 대표자 바츠……."

"……우와아."

"그놈들도 나오는 건가……."

이건 탐탁지 않은데, 라는 분위기가 부실에 퍼졌다.

"왜 일부러 나오는 건데? 심심풀이?"

"발렌슈타인은 실력이 좋은 길드지만 힐러는 그렇지만도 않았지. 그걸 보충하고 싶은 게 아닐까?"

"결혼해서 길드로 끌어들이려는 계획인가?"

"고양이공주 씨의 몸이 목적인 거네요."
"흐~응. 몸만 노린 프러포즈라는 거네."
왠지 남들이 들으면 오해할 것 같은 말투였다.
"그, 그것만큼은 싫다냐! 그곳에 시집가는 건 절대로 싫다냐!"
"싫다냐, 라고 해도 우승해버리면 어쩔 수 없잖아요."
"불합리하다냐…… 고양이공주 씨의 즐거운 온라인 게임은 끝장이다냐……."
"검은 마술사 씨가 나오는 이상 좋은 승부를 벌일 거라 생각하는데."
그 사람도 뒤지지 않을 정도의 폐인이니까.
"고양이공주 씨. 여러 사람에게 구혼 받고 있네요."
"실력 좋은 힐러는 귀중하니까."
"저는 파티에 참가하면 다들 미묘한 표정을 짓던데요."
"너 같은 여왕벌이랑은 다르잖아."
"여왕이라는 말을 들으니까 기쁘네요!"
여왕이라고 해도 여왕벌은 별로 좋은 의미가 아니니까 그만둬.
"참고로 루시안은 출전하지 않는 건가?"
"나는 안 나가."
이제 와서 고양이공주 씨랑 결혼할 생각은 전혀 없으니까.
그치? 라고 아코를 보자 그녀도 고개를 끄덕였다.

"흠, 그렇다면…… 내가 나갈까."

"……어, 마스터가?"

"음. 팀메이트라면 너도 참가할 수 있겠지?"

"그건 상관없지만…… 왜 나가는데?"

물어보자 마스터는 오히려 의아한 듯이 말했다.

"당연히 사이토 교사와 결혼하기 위해서지."

어, 어어, 그건…….

"……고쇼인, 나랑 결혼하고 싶니?"

"왔어요!"

"왔다!"

아무것도 안 왔어! 좋아하지 마!

"그런 백합백합한 이야기는 아니다. 이대로 가면 사이토 교사는 바라지도 않는 상대와 결혼해야하는 처지가 된다. 그걸 잠자코 볼 수가 없어서 말이지."

"그러니까 마스터가 나가겠다고?"

"음. 나라면 그녀를 행복하게 해줄 수 있다."

단언하는걸. 마스터 멋져.

"게다가 나와의 관계 사이에 사랑이 있다고는 말할 수 없지만, 정이라면 있겠지."

마스터가 훗 하고, 왠지 쓸쓸하게 말했다.

"사랑은 없더라도, 적어도 좋은 감정을 가진 상대와 결혼하고 싶지 않겠나."

왠지 심오한 말이지만, 마스터답지 않다는 생각도 들었다.

무슨 일이 있는 거지? 갑자기 그런 말을 꺼내다니.

"그러네. 혹시 너희 팀이 이긴다면 앨리 캣츠에 들어가게 될 거고."

고양이공주 씨에게도 이의는 없는 모양이었다. 학생이 자기를 좋게 생각하는 게 싫지만은 않은 것 같아서 조금 기쁜 듯이 고개를 끄덕이고 있었다.

"길고양이공주 씨가 되겠네요."

"결국 공주잖아."

여왕벌보다는 훨씬 낫지.

"그럼 등록할게. 대표자랑 팀 멤버 정해야겠네. 대표자 애플리코트. 팀메이트 루시안, 아코, 슈바인. 팀 앨리 캣츠. 등록 완료."

"저도 나가는 건가요?"

"왜 남 일이라고 생각한 건데?"

"저 말고 세테 씨는 안 되는 건가요?"

"으음. 걔는 정월 때 좀 바쁜 것 같거든."

부실에도 안 오니까.

접속률도 상당히 떨어졌고, 집에서 일이 많은 걸지도.

"걔는 라이트 게이머니까, 의욕이 없는 시기에 권유해봤자 별 수 없잖아."

"우우, 어쩔 수 없네요. 하지만 대회는 그냥 관전하는 게 가장 즐겁다고 생각하지 않나요?"

"그건 이해하지만!"

네가 나가지 않으면 멤버가 부족하잖아! 이번에는 힘내자고!

"멤버도 갖춰졌고, 좋아. 나머지는 이기면 되겠군."

"……이길 수 있겠어?"

상대는 검은 마술사 씨나 바츠 등등 폐인들이 태연하게 섞여있다.

"즐기는 파인 우리들로는 아무리 발버둥 쳐도 절망밖에 없는데."

"아니아니, 그렇지 않다."

마스터가 훗훗훗 하고 자신만만하게 웃었다.

"확실히 배틀로얄을 한다면 승률은 낮겠지. 하지만 대회 설명을 보니 대회 종목은 당일에 발표한다고 한다."

"그렇구나. 뭘 기준 삼아 승부하는 건지 모른다는 거네."

"그렇지. 과금액이라면 내가 이길 거고, 베스트 드레서 콘테스트라면 아코 군이 강할 거다. 우리가 특기인 종목도 있겠지."

그 두 가지는 선정되지 않을 것 같은데.

"그리고 무엇보다도 우리에게는…… 우승상품이 붙어있지 않나."

"……냐?"

고양이공주 씨가 나? 라며 자기를 가리켰다.
하긴. 최대의 승리 플래그구나.

『고양이공주 씨 결혼 상대 쟁탈대회』는 토요일에 개최되었다.
연대나 환경에서도 베스트를 기하기 위해 우리는 부실에 집합했다.
"참가 팀은 30개라고 해."
"100명 이상이 참전하는 건가."
엄청난 대규모 이벤트잖아. 평범한 이벤트라도 100명은 좀처럼 못 모으는데.
"험난한 싸움이 되겠네."
"하지만 질 수 없는 싸움이 여기에 있다."
"다들 힘내라냐."
선생님이 눈물을 글썽이며 지켜보는 가운데 개최선언이 나왔다.
◆†클라우드† : 지금부터 고양이공주 씨 결혼 상대 쟁탈대회를 개최한다!
◆디 : 우오오오오!
◆루인 : 고양이공주 씨! 나다! 결혼해줘!
◆고양이공주 : 싫다냐아아아아아!
바로 한 명 차였는데, 이 대회, 괜찮은 건가?

그건 제쳐놓고 대회 내용은 대체 뭘까 생각하며 운영진 자리를 바라봤다.

◆세테 : 그럼 오늘 『고양이공주 씨 결혼 상대 쟁탈대회』의 중계는 바로 저, 길드 앨리 캣츠의 세테가 맡도록 하겠습니다!

그곳에는, 마치 당연한 것처럼 무땅을 데리고 있는 세테 씨의 모습이!

"에엥?!"

채팅이 나오는 걸 보자마자 세가와가 차를 뿜었다.

"뭐하는 거야 나나코?! 바쁘다고 말했던 주제에 왜 중계 같은 걸 맡고 있는 거야?!"

"와아, 세테 씨 대단하네요~."

"생각을 그만두지 마, 아코!"

"이제 와서 말해봐야 아무 소용없지 않나."

그보다, 들켰던 건가.

참가자인 우리들을 보고 마구 손을 흔들고 있는데?

◆세테 : 세테 씨가 아무것도 모를 거라 생각한다면 큰 오산이야! 숨겨봤자 똑똑히 다 알고 있거든!

◆루시안 : 오지 않았으니까 부르지 않은 거거든요!

중계진이 참가자한테 트집 잡지 말라고!

"하지만 운영진 쪽에 아군이 있는 건 행운이네요."

"호의적으로 본다면 말이지."

명백하게 아군이 아닌 것 같은 기분이 든다만.

◆세테 : 그런고로 진행하도록 하겠습니다. 이 대회는 출전자가 예상 이상으로 많아졌기 때문에 먼저 예선을 치르겠습니다.

세테 씨의 설명이 이어졌다.

◆세테 : 예선 내용은— 고양이공주 씨 컬트 퀴즈입니다!

오오, 하고 웅성거리는 소리가 들려왔다.

고양이공주 씨 컬트 퀴즈라니, 고양이공주 씨에 대한 문제가 나오는 건가?

그거 참가자들이 대답할 수나 있을까? 고양이공주 씨와 말도 나눠본 적 없는 사람이 엄청 많은데?

◆세테 : 질문은 모두 ○나 × 양자택일! 대답이 ○라고 생각하는 팀은 광장 오른쪽, ×라고 생각하는 팀은 왼쪽으로 이동해주세요!

"예상치 못했던 종목이지만 행운이네."

"이거 괜찮네!"

"예선은 우리가 승리한 거나 마찬가지다!"

우리는 Yeah~, 하고 주먹을 부딪쳤다.

왜냐하면 우리에게는 정답을 아는 사람이 붙어있으니까!

"고양이공주 씨, 잘 부탁합니다."

"이건 커닝 아닌가냐……."

"선생님을 위해서 하고 있는 건데요?"

그럼그럼. 어쩔 수 없는 거라고요.

◆세테 : 그럼 중요하고 중요한 첫 번째 문제! 고양이공주 씨는 그 가련함뿐만 아니라 조작기술도 뛰어나다는 평가를 받고 있습니다만— 그녀는 오른손잡이다! ○일까요, ×일까요!

"그렇다는데! 어때, 고양이공주 선생님!"

"정답을 가르쳐주세요, 고양이공주 씨!"

"이건 보면 다 아는 거다냐!"

뭐, 그렇지. 우리야 매일 분필을 잡는 선생님을 보고 있으니까 물론 알고 있다.

"정답은, 오다냐!"

"좋아, 오 쪽으로 가자!"

팀 모두 이동.

○라고 대답한 사람이 많았지만 ×로 간 팀도 꽤 있었다. 왼손잡이가 많으니까 말이지.

◆세테 : 정답은…… ○입니다!

◆디 : 젠자아아앙.

◆이가스 : 바로 져버렸네요.

상당한 팀이 빠져나갔고, 줄어든 상태에서 다음 문제가 출제되었다.

◆세테 : 그럼 두 번째 문제! 고양이공주 씨는 개인적인 운도 상당히 좋다는 평판을 받고 있는데요, 이 게임에서 처음 얻은 레어 아이템은 머리 장비 『포와링의 편지』다! ○일까요, ×일까요!

"오오, 어려운 문제가 나왔네."
"이건 모르겠네요."
다른 팀들도 웅성웅성 의논하고 있었다.
이런 문제의 답을 알 수 있을 리가 없다.
"괜찮지 않을까? 여기서 이긴다면 꽤 클 거야."
"음. 단숨에 깎아낼 수 있겠지."
우리에게는 정답이 있으니까.
문제는 어려운 문제일수록 좋다.
"그러니까…… 선생님. 오인가요, 엑스인가요?"
"…………."
"선생님?"
선생님은 새파란 얼굴로 고개를 휙휙 내저었다.
"모, 모르겠어."
"에에에에에엑?!"
"왜 모르는 건데! 자기 일이잖아?!"
"오랫동안 LA를 해왔는데 처음 얻은 레어 같은 건 기억 못한다냐아아!"
"이게 어찌된 일이냐……."
큭, 하지만 이런 일도 있다.
엄청 갖고 싶었던 아이템이 나온 순간은 기억하더라도 우연히 나온 레어 아이템은 기억하지 못하는 일은 드물지 않다.
"그보다 이 문제를 생각한 사람은 대체 왜 알고 있는 건가냐…… 그게 이상하다냐…….”

“확실히 나도 내가 처음 얻은 레어 같은 건 기억 못해.”

“어, 루시안은 벚꽃 헤어밴드였잖아요?”

“왜 아코 네가 알고 있는 건데?!”

무서워! 내 신부, 무서워!

“그치만 전에 말해줬었잖아요.”

“마, 말했었던가……?”

그때의 나는 기억했던 거구나. 하지만 그걸 확실히 기억해두고 있었다는 게 꽤나 무서웠다.

“분명 내가 무심코 던진 발언을 기억하고 있는 거다냐. 무섭다냐. 친위대로는 돌아가고 싶지 않다냐.”

선생님의 공포가 불어나고 말았다.

그런 의미에서는 처음 나온 오른손잡이 문제부터 대체 어떻게 알고 있느냐는 이야기가 되겠는걸.

**◆세테 : 남은 시간 20초입니다~.**

“잠깐, 시간 거의 다 됐잖아! 선생님 정답은!”

“떠올려주세요! 뭐든 할 테니까요!”

“지금 뭐든지 한다고 했나요?”

그런 소리를 하고 있을 때가 아니라고!

“어, 어어…… 포와링의 편지는 어딘가에서 산 기억이 있다냐. 나한테 나왔다면 살 리가 없으니까, 분명 엑스다냐!”

“좋았어, 엑스다!”

황급히 엑스 쪽으로 이동.

어려운 문제인 탓에 정답 분포는 상당히 갈렸다.

과연, 정답은—.

◆세테 : 정답은, ×입니다!

"좋았어!"

"조마조마했네요."

왜 문제에서 언급되는 본인이 있는데 이렇게 위험천만한 거냐고.

◆세테 : 참고로 고양이공주 씨가 처음 얻은 레어는 네잎클로버라고 합니다.

◆고양이공주 : 기억 안난다냐아아아아, 인터넷은 무섭다냐아아아!

우와아.

아무튼 두 문제 만에 상당히 줄었다. 벌써 절반 이하가 돼버렸어.

◆세테 : 그럼 세 번째 문제! 고양이공주 씨는 화려한 차림새와 플레이어 스킬뿐만 아니라 충실한 장비품도 매력적입니다만…….

◆고양이공주 : 조금 전부터 이 앞말은 대체 뭔가냐?! 그런 금칠은 필요없다냐!

"엄청 웃으면서 채팅 치고 있겠네. 나나코."

휴일에 집에서 대체 뭘 하는 거냐고, 저 사람은.

우리도 남 말할 처지는 전혀 아니지만.

◆세테 : 그런 고양이공주 씨가 애용하는 자애의 지팡이! 그 강화단계는 +8이다! ○일까요, ×일까요!

"아무리 그래도 모르겠다만."

"너무 컬트하잖아, 이 퀴즈."

"선생님, 어떤가요?"

"이건 엑스다냐."

자기 장비니까 역시 바로 대답해주었다.

참고로 정답은 뭔가요?

"+13이다냐."

"……."

"…………."

"왜 그러니?"

"아, 아뇨."

강화단계에는 자신이 있는 마스터조차도 복잡한 표정이었다.

이 게임은 보통 +15까지 강화할 수 있는데, +5부터는 성공률이 극단적으로 내려가고 +10 이후는 실패하면 장비가 소멸할 가능성이 있다.

과금 아이템을 쓰면 장비파괴는 면할 수 있지만, 그럼에도 강화 성공률은 무지막지하게 낮은데, 그럼 다시 말해…….

"만드는 데 얼마나 든 건가요, 그 지팡이……."

"뭐, 나름대로 들었다냐."

이 사람도 꽤나 얕볼 수 없는 폐인이라는 뜻이었다.

◆세테 : 정답은 ×입니다~.

남은 팀이 또 조금 줄었다.

하지만 검은 마술사 씨가 있고, 바츠도 있다.

그냥 있는 게 아니라 이쪽을 엄청 쳐다보고 있었다. 가끔 손까지 흔든다니까. 무섭다고.

◆세테 : 다음 문제입니다. 공주, 여신, 여왕이라고 불리는 고양이공주 씨, 당연히 지금껏 수많은 연애가 있었습니다만—.

◆고양이공주 : 저 앞말은 정말로 그만둬줬으면 좋겠다냐…….

고양이공주 씨의 우는 소리는 가볍게 무시.

◆세테 : 예전에 고백을 받아서 차버린 숫자는 10명 이상이다! ○일까요, ×일까요!

◆루시안 : 문제가 너무 심하잖아!

◆유윤 : 희생자 수고.

◆루시안 : 시끄러!

무심코 태클을 걸고 말았잖아! 뭐야 이거!

"어어, 니시무라를 빼고 아홉 명이 될지 말지가 문제네."

"굳이 나를 넣을 필요는 없잖아!"

"맞아요!"

"부부가 함께 화내지 마."

세가와가 가볍게 미안미안이라고 말하며 손바닥을 파닥파

닥 흔들었다.

"아무리 그래도 이건 엑스겠지. 10명이나 있을 리가 없어."

"그렇겠지. 고양이공주 씨, 엑스로 가면 되나요?"

"어, 그게에."

어, 어라? 고양이공주 씨의 얼굴이 굳어졌는데?

"저기, 설마 고양이공주 씨?"

"아니, 저기, 기억에 자신은 조금 없지만……."

"있었던 건가요. 10명 이상……."

"우와아……."

딱히 고양이공주 씨 잘못은 아니지만, 기겁한 시선이 쏟아졌다.

"정답은 다른 관점에서도 추측할 수 있다."

마스터가 우수한 성적의 학생회장답게 문제를 가리켰다.

"이건 문제를 보면 정답을 알 수 있는 타입의 문제다. 어차피 실제로는 본인밖에 모르는 거니까. 주변에서 10명까지 확인하지 않았다면 이 문제는 성립하지 않아."

"그렇구나. 그렇다는 건."

"오인가……."

◆세테 : 정답은, ○입니다~!

맞추고 말았어.

정말로 10명 이상이었다고.

◆세테 : 굉장하네요, 고양이공주 씨. 대인기네요. 오늘만

따져도 수십 명의 프러포즈를 단칼에 잘라버렸으니까요.

◆고양이공주 : 내가 바란 게 아니다냐아아아!!

선생님의 울음소리가 광장에 울려 퍼졌지만 아무도 개의치 않았다.

이상하네. 이 사람을 둘러싼 싸움일 텐데 왜 무시당하는 걸까.

◆세테 : 그럼 다음 문제입니다!

그 후에도 몇 가지 문제가 이어졌지만 여기까지 남은 팀들은 역시 강적이라 아무도 실패하지 않았다.

그보다 다들 우리 움직임을 따라오고 있다는 느낌이 들었다.

우리가 고양이공주 씨와 친하다는 걸 알고 있는 사람들만 남은 거 아니야?

◆세테: 네, 슬슬 문제가 적어졌습니다. 본선은 여섯 팀끼리의 싸움이 되므로 슬슬 어려운 걸 내고 싶은데요…….

으음, 하고 눈살을 찌푸리던 세테 씨가 문제를 읽었다.

◆세테 : 문제입니다. 고양이공주 씨는 개파가 아니라 고양이파다! ○일까요, ×일까요!

"이건 오지."

"그러네."

그렇죠? 라고 묻자 선생님도 끄덕끄덕 수긍했다.

"그럼 오 쪽으로……."

"아니, 기다려라 너희들. 이건 찬스다."

"찬스? 어디가?"

"누구도 틀리지 않을 문제잖아?"

"틀리지 않는다면 틀리게 만들어버리면 되는 거다."

틀리게 만든다……는 소리는?

"생각해봐라. 지금까지는 사실에 관련된 문제가 많았지만 이 문제는 어디까지나 좋고 싫고를 묻고 있다. 즉, 예전과 지금의 대답이 달라도 된다. 모든 건 고양이공주 씨에게 달렸지. 즉—."

"그, 그런가!"

"설마 그런 비겁한…… 아니 비열한…… 아니 치사한…… 어어, 똑똑한, 수단이 있었구나! 대단해 마스터!"

"그 정도까지는 아니다."

겸허한 마스터와 함께 고개를 끄덕이며 우리는 엑스 쪽으로 이동했다.

조금 전까지 우리랑 같은 곳으로 이동하던 팀도 이것에는 역시 ○로 갔군.

◆세테 : 어라? 의외로 갈렸네요. 그럼 정답은!

거기서 채팅이 끼어들었다.

◆고양이공주 : 정답은 ×다냐!

에에엑, 하는 소란이 벌어졌다.

그야 그렇지. 다들 고양이라고 생각했을 테니까.

◆세테 : 어, ×인가요? 고양이공주 씨인데 개파?

◆고양이공주 : 그렇다냐. 옛날에는 고양이를 좋아했지만 지금은 굳이 따지자면 개파다냐.

아마 대본에는 ○라고 적혀 있었겠지. 세테 씨가 깜짝 놀라고 있었다.

◆세테 : ……그렇다고 하므로, 정답은 ×입니다!

하지만 역시 전환이 빠르다. 태클을 걸지 않고 천연덕스럽게 정답을 바꿔버렸다.

진짜냐~, 라는 이의가 나왔지만 원래부터 엉성한 퀴즈다. 진 팀은 순순히 퇴장했다.

"좋았어. 이걸로 상당히 줄였어!"

"남은 팀은 몇 팀이야?"

"어어, 하나, 둘, 셋, 넷, 다섯, 여섯……?"

◆세테 : 남은 팀이 여섯이 되었으므로 예선은 이걸로 종료합니다!

"좋았어, 해냈다!"

"살아남았어!"

"정답을 바꿀 수 있는 퀴즈라니 엄청 즐겁네요!"

"퀴즈를 그렇게 즐기는 건 이상하다냐."

괜찮아요 괜찮아요. 딱히 공평한 싸움을 하는 대회가 아니라 결혼 상대 쟁탈대회니까. 본인의 힘을 빌릴 수 있는 건 결코 비겁하지 않다고요.

남은 멤버를 보자 먼저 우리 앨리 캣츠, 그리고 역시나 본진인 고양이공주 친위대. 마지막 문제는 틀릴 뻔했지만 우리 쪽으로 이동해서 난을 피했다.

그리고 검은 마술사 씨의 TMW, 바츠의 발렌슈타인. 완전히 우리를 마크해서 정답을 맞힌 두 팀이다.

거기다 엠퍼러 소드도 남았다. 난적이 많네.

◆세테 : 본선은 제1회전, 그리고 결승전, 이렇게 2회로 나눠 진행됩니다. 즉, 다음 싸움에서 여섯 팀이 두 팀으로 줄어든다는 뜻입니다!

살아남은 팀들이 으으음, 하고 서로를 노려봤다.

"지금부터는 고양이공주 씨의 신통력이 통할 거라고 장담 못한다."

"내용에 따라 갈리겠네."

"화력 대결이라면 이길 수 있겠다만……."

"싸움이라면 못 이길 테니까요."

그럼, 운명의 시합 내용은?

◆세테 : 그럼 발표하겠습니다. 본선은── 정월 시즌 이벤트에 새로 추가된 미니 게임! 신춘 포와링 레이스로 진행합니다!

…………미니 게임?

미니 게임으로 싸운다고?

"……새, 생각도 못 했네."

"그거 귀여워요!"
"전에 재밌다고 했었지? 아코."
"맞아요. 포와링이 뿅뿅 뛰면서 썰매를 끄는 레이스에요. 즐거워요!"
아코가 이렇게요, 이렇게! 라며 뿅뿅 뛰는 흉내를 내며 신나했다.
미안, 해본 적이 없어서 팍 다가오지를 않아.
"나는 해본 적 없어……."
"나도 상품이 없는 미니 게임에는 손을 대질 않는다."
"미안, 나도."
"다들 해보자고요."
싫어도 지금부터 할 거야.
**◆세테 : 회장으로 가는 포탈을 열어놨으니 먼저 참가자 분들, 그 다음 견학하시는 분들이 이용해주세요.**
이동하는 것도 수완이 좋군. 제대로 생각해둔 모양이었다.
이동마법 포탈에 들어가자 이동한 곳은 설산 맵, 알타야.
전에 슈가 보스 사냥을 하던 곳이다.
"그렇구나. 여기라면 썰매 정도는 쓸 법하네."
"이런 곳에서 이벤트를 했었구나."
"제대로 고지했었잖아요."
아무도 자신이 없는 미니 게임.
이건 아코를 의지할 수밖에 없겠는걸.

◆바츠 : 왔군. 과금충 군단.

◆코로 : 오랜만.

◆미즈키 : ^^

먼저 와있던 발렌슈타인 멤버가 말을 걸어왔다.

문화제 때 공성전에서 우리를 배신하고 마구 날뛰었던 녀석들이다.

공팟 같은 곳에는 그다지 오지 않아서 만난 건 오랜만이었다.

◆루시안 : 아, 오랜만. 과금충인 건 길드 마스터뿐이니까 불명예스러운 별명은 그만둬.

◆애플리코트 : 과금에는 자신이 있지만 충이라고 불리는 건 납득이 안 간다만.

바츠의 채팅을 본 마스터가 떨떠름한 표정을 지었다.

◆루시안 : 그보다 너희들, 퀴즈 정답 맞출 생각 없었지? 완전히 우리 뒤를 따라다녔잖아.

고양이공주 씨에 대해서 전혀 모르는 바츠 일행이 예선을 돌파한 것은 우리와 똑같은 정답을 골랐기 때문이다.

명백하게 뒤를 쫓아다니고 있었다. 정답을 바꿔도 그대로 따라오던걸.

◆바츠 : 싫다면 페인트 정도는 걸라고. 긴장감이 없잖아ㅋ

◆루시안 : 우리는 쓸데없는 노력은 안 해.

조작기술에 자신감이 있는 폐인 집단하고 페인트 승부를

해서 어쩔 거야. 못 이긴다고.

◆루시안 : 그보다, 그렇게 이기고 싶냐? 일부러 대회에 나올 정도로 고양이공주 씨를 원해?

◆바츠 : 그쪽은 덤이고. 그런 것보다는 이기고 도망친 애플리코트하고 결판을 내야지. 이번에는 안 진다고?ㅋ

◆슈바인 : 아직도 원한이 남은 거냐…….

◆애플리코트 : 아니, 원한을 가지진 않았을 거다.

별 수 없다며 어깨를 으쓱한 마스터가 말했다.

◆애플리코트 : 결판을 내든 내지 않든 간에 심심풀이를 할 기회가 있다면 어차피 참가했을 것 아니냐? 상관없다, 언제라도 와라. 상대해주지.

◆바츠 : ……쓸데없이 사나이답네. 애플리코트.

◆루시안 : 저 카리스마를 조금 더 좋은 방면으로 발휘해줬으면 좋겠는데.

마스터의 멋있는 모습은 성가신 상대와 마주했을 때 말고는 발휘되지 않는단 말이지.

◆바츠 : 뭐, 이런 게임이라도 우리는 지지 않을 테니까 보기나 해ㅋ

◆애플리코트 : 훗, 이기는 건 우리다.

◆바츠 : 두고 보자고ㅋ

속 시원하게 말하고 만족한 건지 바츠 일행은 바로 가버렸다.

저 녀석들 자유롭네. 그런 길드겠지만.

◆†검은 마술사† : 너희들도 성가신 녀석들에게 얽혀서 큰일이겠군.

◆루시안 : 아, 검은 마술사 씨. 안녕하세요.

◆애플리코트 : 오랜만이군.

우리가 바츠랑 얽힌 걸 보고 있었는지 검은 마술사 씨도 얼굴을 내밀었다.

이 서버 톱클래스의 길드인 TMW의 마스터로, 엄청난 폐인이다.

폐인이긴 해도 좋은 사람이라 문제가 생겼을 때는 여러모로 신세를 지고 있다.

◆루시안 : ……그러는 당신도 우리가 ○인가 ×인가를 고르는 거 기다리고 있지 않았나요?

◆†검은 마술사† : 꼭 그렇지만은 않은데? 정답이 뭔지 모를 때는 참고로 삼았지만ㅋ

◆루시안 : 똑같은 소리잖아요!

좋은 사람이긴 하지만 역시 이 사람도 이 사람대로 독특하단 말이지…… 뭐, 폐인이니까 당연한 소리지만…….

◆†검은 마술사† : 그런데 신경 쓰이던 게 있다만…… 애플리코트.

◆애플리코트 : 응?

◆†검은 마술사† : 너는 진심으로 고양이공주 씨와 결혼

하고 싶은 건가?

◆애플리코트 : 물론이지.

진심으로 고양이공주 씨와 결혼하기 위해 출전한 것이므로 마스터는 망설임 없이 즉답했다.

◆애플리코트 : 고양이공주 씨는 넘겨주지 않겠다.

◆†검은 마술사† : 그건 의외인걸……. 뭐, 이야기는 서로 이기고 올라온 뒤에 하자고.

◆애플리코트 : 그래. 기대하고 있으마.

두 사람이 서로 음흉한 미소를 나눴다. 둘 다 시커먼 길 마라니까. 무서워.

하지만 이렇게 보면 마스터도 독특하고 별난 사람들한테 주목을 모으더란 말이지.

그런 의미에서는 인기가 많은 걸지도 모른다.

"그럼 우리도 준비를 해서 레이스 맵으로 가자."

"저기, 루시안."

"응?"

"저쪽에서 고양이공주 씨 친위대 사람들이 엄청나게 노려보고 있는데요."

그때 아코가 화면 한구석을 가리켰다.

듣고 보니 커다란 나무 뒤편에서 엄청난 원념이 담긴 시선이 느껴졌다.

◆†클라우드† : ………….

◆리미트 : …………….

◆카보땅 : …………….

우와, 우리를 엄청 노려보는데.

친위대 사람들한테 뭔가 안 좋은 일이라도 저질렀던가……?

"으음…… 내버려둘까."

"네~에."

레이스용 맵을 하나 예약해둔 것인지 이미 준비는 되어 있었다.

고양이공주 씨 결혼 상대 쟁탈대회 본선이라는 현수막이 펄럭였다.

◆세테 : 이 신춘 포와링 레이스는 떨어지는 함정이나 얼음 연못 같은 함정, 기믹이 많은 코스를 포와링이 끄는 썰매를 타고 달리는 레이스입니다! 방해도 가능, 협력도 가능한 무규칙이죠! 여러분 모두 전력을 다해주세요~!

"방해도 가능해?"

"네. 멀리까지 닿는 공격은 평범하게 쓸 수 있고, 근처에 오면 직접 공격도 할 수 있어요."

"호오, 뭐든지 되는구나."

그렇다면 난전이겠군. 내가 모두를 지켜줘야겠다.

◆세테 : 기수는 대표자가, 다른 분들은 방해를 맡아주세요. 가속 아이템인 포와링 스타는 세 개 지급됩니다! 이 아이

템을 어떻게 쓰느냐가 승부를 가르겠네요!

"가속 아이템도 있구나."

"네. 포와링이 커져서 영차영차 썰매를 끌어요."

"……그걸로 가속해?"

의심스러운데. 그리고 별이긴 하지만 무적이 되지는 않는 모양이었다.

"다들 힘내라냐!"

"물론이죠. 이 레이스에서 이겨서 고양이공주 씨를 내 신부로 삼겠습니다!"

"냐, 냐아?!"

단언하자 쑥스러워하는 고양이공주 씨는 내버려두고 시합 준비를 진행했다.

◆세테 : 예선을 뚫은 여섯 팀 여러분은 출발선에 썰매를 배치해주세요. 위치는 빠른 사람이 임자입니다~.

◆루시안 : 그럼 어디에서 출발하는 게 좋을까. 위험하지 않은 구석?

◆아코 : 아뇨. 이 코스는 끝에 있으면 속도가 떨어져요. 코스 한가운데에 가까울수록 가속이 붙는 시스템이거든요.

"잠깐, 너희들, 그거 공개 채팅에서 말하면 안 돼!"

"앗."

그랬다. 아무 생각 없이 채팅으로 대화를 하고 있었기 때문에 주변 사람한테도 전부 들렸다.

역시나 여기까지 남은 팀들은 반응이 빨랐다. 곧바로 움직이기 시작했다.

◆바츠 : 느려터졌구만, 벌써 한가운데는 따냈다고ㅋ

◆자벨린 : 가운데에 가까운 곳을 점유해라!

◆†클라우드† : 우리도 중심을 따내자!

웅성웅성 모여들어서 이미 구석밖에 남아있지 않았다.

"죄송해요. 제가 쓸데없는 소리를."

"아니…… 이게 정답일지도."

"네?"

원래대로라면 한가운데서 스타트 대쉬를 하는 게 좋겠지만, 이 경우에는 꼭 그렇다고는 할 수 없다.

"썰매 조작은 마스터지? 출발하면 바로 스타를 써서 가속해줘. 코스 한가운데로 가지 말고 옆을 지나가듯이."

"알았다."

"괜찮아? 감속되는데?"

"그렇긴 하지만, 아무튼 멀어져야해."

"왜? 차이가 벌어질 뿐이잖아."

"왜냐하면—."

말하기 전에 세테 씨의 채팅이 나왔다.

◆세테 : 그럼 카운트다운에 맞춰서 출발해주세요! 3!

◆세테 : 2!

◆세테 : 1!

"설명할 시간 없어! 마스터, 부탁해!"

"맡겨둬라!"

◆세테 : 출발합니다~!

"간다!"

출발과 동시에 포와링 스타가 발동해서 우리 썰매를 끄는 포와링이 빅 포와링으로 거대화했다.

(`·ω·´) 이런 기합이 들어간 표정을 지은 포와링이 코스 가장자리에서 쭉쭉 가속했다.

"이래도 돼?"

"괜찮아. 왜냐하면—."

◆바츠 : 으랴아아아아압!

◆유윤 : 우와아아아아앗!

부웅부웅부웅, 가가가가가각쿠콰~앙 등등, 코스 한가운데 쪽에서 이펙트음이 연달아 들렸다.

◆세테 : 우와아앗, 발렌슈타인, 출발하자마자 전력 공격입니다! 활, 마법, 게다가 기수인 바츠 선수도 조작을 포기하고 공격에 참가하고 있네요!

◆바츠 : 잔챙이들이ㅋㅋㅋ

◆자벨린 : 우리 썰매가!

◆세테 : 이거 심하네요! 발렌슈타인 옆에서 스타트한 엠퍼러 소드, 자벨린 선수의 썰매가 순식간에 파괴돼서 탈락! 근처에 있던 청소조합, 고양이공주 친위대도 상당한 대미지를

입었습니다!

"거 봐."

"우와아."

한가운데에 진을 친 건 바츠의 발렌슈타인이라고.

당연히 제대로 출발할 리가 없지.

◆세테 : 거기서 포와링 스타로 단숨에 가속! 옆을 달리던 앨리 캣츠, 바로 추월당했습니다! 저기, 다들 힘 좀 내!

◆루시안 : 힘내고 있다고요!

중계진이 개인적인 메시지를 보내지 마!

◆세테 : 현재 선두를 달리는 건 팀 TMW! 중앙에서 스타트 했는데도 대체 어떻게 한 건지 노 대미지! 검은 마술사의 썰매는 괴물인가!

아아, 정말. 즐거워 보이네, 세테 씨.

◆세테 : 2위는 발렌슈타인! 우리에게도 적이 보인다는 듯이 1위 TMW를 향해 일직선! 3위는 청소조합! 썰매 내구도가 줄어서 약간 스피드 다운, 과연 적을 모두 청소할 수 있을까요! 조금 뒤늦게 고양이공주 친위대, 앨리 캣츠가 따라가고 있습니다!

"큭, 즉사의 위기는 피했지만 처음부터 이 차이는 버겁군."

"괜찮아요."

왠지 오늘은 믿음직한 아코가 힘차게 보장했다.

"이 게임, 이러니저러니 해도 다들 비슷한 타임으로 골인

할 수 있도록 느린 사람일수록 스피드에 보너스가 붙게 되어있거든요. 평범하게 가다보면 따라잡을 수 있어요."

"뭐야 이 망겜, 레이스 게임으로 성립되지 않잖아."

"그런 소리를 해도, 미니 게임인걸요!"

온라인 게임 특유의 어이없는 구조를 가진 미니 게임! 하지만 지금은 다행이다!

"좋아. 그렇다면 이대로 뒤를 따라가서 아슬아슬하게 추월을—."

"루시안, 오른쪽이다!"

"큭!"

말을 듣자마자 반사적으로 방패를 오른쪽으로 들었다.

그곳에 퍽퍽 투척 나이프가 꽂혔다.

썰매 내구도는 떨어지지 않았지만 크게 흔들려서 진로가 옆으로 틀어졌다.

"뭐, 뭐야?!"

공격이 온 방향으로 화면을 돌리자—.

◆†클라우드† : 좀 더! 좀 더 던져라!

◆유윤 : 이야압! 이야아아아압!

◆루시안 : 너희들 무슨 짓이야!

◆리미트 : 적이니까 당연하지!

적이지만, 적이긴 하지만!

잔챙이끼리 서로 깎아내 봐야 아무 쓸모도 없잖아!

◆루시안 : 지금 이럴 때냐고. 협력해서 선두권을 따라잡아야지!

◆†클라우드† : 이기기 위해서는 그게 가장 좋을지도 모르지…… 하지만!

클라우드 씨가 단호하게 말했다.

◆†클라우드† : 너희들에게는, 질 수 없단 말이다!

◆루시안 : 그건 또 왜.

◆†클라우드† : 우리는 깊이 반성했다. 고양이공주 씨에게 심한 부담을 주었다는 것을. 즐거웠으니까, 당연히 그쪽도 즐기고 있을 거라 생각하며 무모한 짓을 계속했으니…….

◆루시안 : 꽤나 즐겼다고 생각하는데, 그 사람도.

◆†클라우드† : 그렇지? 역시 그렇지?

어이, 반성은 어디로 갔어.

◆†클라우드† : 이런.

그는 어흠 하고 헛기침을 하는 동작을 취했다.

◆†클라우드† : 이대로 길드가 사라진다면 우리는 거북한 상태로 끝나고 말 거다. 그건 용납할 수 없어. 다른 사람과 결혼하더라도 길드에는 남아줄지도 모르지만, 너희들이 이긴다면 고양이공주 씨는 앨리 캣츠로 옮겨갈 거다!

누가 이기더라도 이적하지 않을까 싶은데.

아무튼, 고양이공주 씨와 화해를 하고 싶다는 뜻인가?

"……그럼 방금 퀴즈는 대실패였네."

"말하지 말아줘."

고양이공주 씨도 기겁했으니까, 그 길드에는 돌아가고 싶지 않을걸.

◆루시안 : 이유는 알겠지만, 그런 건 말로 하면 되잖아. 그보다 고양이공주 씨는 그동안 했던 무모한 짓은 진짜로 신경쓰지 않았어.

◆†클라우드† : 알고 있지만! 우리를 떠나 앨리 캣츠로 들어갔다간, 왠지 너희들에게 진 것 같잖아!

쓸데없는 고집이네! 그런 건 아무래도 좋잖아!

◆유윤 : 이야아아아압! 부서져라아아아!

◆루시안 : 크으으.

◆아코 : 힘내세요!

내 방패는 제대로 썰매를 지켜주고 있다.

하지만 공격의 넉백에 튕겨나가서 점점 옆으로 틀어지는 바람에 속도가 떨어졌다.

"뭔가 아이템은 없는 거냐! 버섯이나 대포, 번개는!"

"마스터, 이건 카트가 아니라 썰매야!!"

우는 소리를 해봐야 아무 소용 없었고, 선두 집단과의 거리는 벌어져만 간다.

"이대로 멀어지면 아무리 그래도 못 따라잡지 않아?!"

"게다가 커브다. 측면 벽에 부딪칠 거다!"

"크, 여기까진가……."

"아뇨, 저쪽이요!"

그때 아코가 옆길을 가리키며 외쳤다.

"저쪽이 지름길이에요!"

"역시 파고든 보람이 있구나!"

"왜 온라인 게임 메인보다 미니 게임을 더 파고드는 건데."

그런 사람도 자주 있어!

"좋아, 루트로 들어가자!"

우리 썰매는 스윽 미끄러져서 코스를 벗어나 옆길로 돌입했다.

◆†클라우드† : 코스 아웃됐다!

◆리미트 : 우리의 승리다!

왠지 기뻐하고 있지만 아직 지지 않았거든!

"이대로 좁은 길을 나아가서 오르막길로 들어서면 포와링에게 힘을 주세요!"

"오르막길…… 여기군!"

두 번째 포와링 스타가 발동했고, 빅 포와링이 썰매를 끌었다.

오르막길을 아랑곳 않고 성큼성큼 가속하여 언덕 꼭대기까지 올라섰다.

"언덕 꼭대기에서 점프에요!"

"날아라, 포와링!"

포와링과 썰매가 부와앙 하늘을 날았다.

"잠깐, 체공시간 길어!"

"물리적으로 말이 안 되잖아."

괜찮잖아. 게임이니까!

그렇게 공중을 일직선으로 나아가 구불구불한 코스를 뛰어넘어 단숨에 선두집단 근처까지 앞질러왔다!

◆세테 : 맙소사! 앨리 캣츠가 지름길을 사용! 하늘에서 날아온 빅 포와링……에 청소조합의 썰매가 뭉개졌습니다!

◆너구리 사부 : 너구리를 발판으로 삼았다구리이이이이.

"앗."

"무, 뭉개졌네요."

◆세테 : 앞서 대미지를 입었던 청소조합의 썰매가 대표자인 너구리 사부와 함께 격침! 상공에서 날아온 대미지를 입고 완전히 다운! 여기서 탈락입니다!

"말려들게 만들었네……."

"오히려 좋다! 남은 건 세 팀!"

◆†클라우드† : 부활했구나, 이 녀석들!

◆리미트 : 다시 한 번 쓰러트리자!

끈질겨어어!

코스로 복귀하자마자 고양이공주 친위대가 덮쳐왔다.

◆세테 : 기수를 제외한 전원이 원거리 공격을 할 수 있는 팀 고양이공주 친위대! 격렬한 공격을 퍼부어서 앨리 캣츠의

반격을 허락하지 않습니다!

"젠장, 우리도 반격…… 어어, 반격……."

거기서 깨달았다.

우리 팀 편성, 위험하지 않아?

"우리 중에 원거리 공격이 가능한 건……."

"나뿐이다만…… 기수라서 말이지. 조작을 그만뒀다간 썰매가 멈출 거다."

"방어전만 해야 하냐고오오오."

한 명 정도 원거리를 넣을 걸 그랬다! 길드에는 없지만!

"썰매를 녀석들에게 갖다 대! 내가 두들겨 팰게!"

"말도 안 되는 소리 마라. 공격을 받을 때마다 썰매가 튕겨나간다. 도저히 접근할 수 없어!"

"크…… 이래선 그냥 타고만 있을 뿐이잖아!"

이대로 가면 언젠가 방어에 실패해서 썰매가 파괴되든가, 슬금슬금 감속해서 패배한다.

하지만 아직 포기하지 않겠어. 이 미니 게임이 레이스 게임으로는 명백하게 잘못된 구조인 이상, 다른 수단이 있을 거야.

예를 들어 세테 씨는 이 게임에 기믹이나 함정이 있다고 했었다.

"아코, 이 미니 게임에는 여러 장치가 있었지?"

"있어요. 많이. 특수한 행동을 하지 않으면 발동하지 않기도 하지만요."

열심히 일하는 포와링을 보며 행복한 건지 아코는 싱글벙글 웃고 있었다. 좀 더 위기감을 가지라고.

"그럼 그 중에 전체 대미지를 입힐 수 있는 건?"

"어어…… 아, 저 눈사람이 그래요."

아코가 가리킨 눈사람이라는 건— 어어, 코스 후반에 있는 저 커다란 눈사람?

"저것도 장치인 거야?"

"네. 텔레포트로 머리 위에 올라타서 스위치를 누르면 대폭발해요."

"왜 그런 위험한 장치가 있는 거야?"

"그, 글쎄요?"

"하지만 승산이 있다면 그거겠군."

다른 참가자들은 다들 골수 폐인들이라 분명 미니 게임의 지식이 없다.

즐기는 주의인 우리들에게는 몇 안 되는 승산!

"미안, 아코. 저 눈사람이 다가오면……."

"네~. 스위치 누를게요."

"부탁해!"

우리의 희망은 불안하긴 해도 아코에게 맡겨졌다.

우리는 상대의 공격을 막으면서 필사적으로 속도를 유지하며 거대 눈사람에게 돌진했다.

"다가온다!"

"다녀오겠습니다~!"

"힘내, 아코!"

썰매 위에서 텔레포트로 날아간 아코가 의외로 정확하게 눈사람 정상에 출현했다. 왜 그 텔레포트 기능을 세뱃돈 줍는 데는 활용하지 못한 거냐고!

"그럼 누를게요!"

"오케이. 눌러!"

"스위치, 온!"

누르자마자 고고고고고 하는 땅울림이 레이스장 전체를 뒤덮었다.

◆†클라우드† : 무, 무슨 일이냐!

◆유윤 : 누가 완주한 건가?

눈사람의 미소가 무서운 얼굴로 변화하더니, 그리고—.

퍼퍼퍼퍼퍼퍼~엉!

◆†클라우드† : 우와아아아아악!

◆리미트 : 뭔가가 폭발했어!

◆유윤 : 눈덩이가 엄청 날아오는데요?!

◆세테 : 스테이지에 있었던 거대한 눈사람이 폭발! 엄청난 기세의 눈덩이가 사방팔방으로 날아갑니다!

"가드는 맡기마, 루시안!"

"우오오오오, 막아내라!"

방금 전까지의 원거리 공격과는 비교도 안되는 대량의 공격이 히트했다.

그리고 불쌍하게도, 가장 많은 공격을 맞을 눈사람 위에 있던 아코는—.

“아아아아아아, 너덜너덜해요!”

“미안, 미안 아코……!”

무참. 아코는 눈사람 위에서 떨어지면서 눈덩이를 퍽퍽 얻어맞고 있었다.

“괜찮아요. 굳이 따지면 이런 전개가 더 좋으니까요!”

떨어지는 아코는 진짜로 만족스럽게 보였다.

“……왠지 아코는 승부를 정하는 중요한 역할을 맡는 것보다는 적당한 타이밍에 이탈하는 걸 좋아하더라.”

“늑대인간 게임[#6]으로 따지면 첫날 희생자가 좋아요.”

“크으, 이해가 가.”

첫날에 죽은 뒤에 마을의 모습을 지켜보고 있는 게 무지 즐겁지.

아무튼 느긋하게 있는 아코는 제쳐놓고 우리는 전투 속행이다.

“아코 군의 희생을 헛되이 하지 마라! 적의 상황은 어떠냐!”

“연속 히트로 전부 스턴 상태야! 지금이야, 썰매를 갖다 대!”

---

**#6 늑대인간 게임** 카드로 확인한 자신의 역할을 숨긴 시민 팀과 늑대 인간 팀이 대화를 하면서 상대의 정체를 간파해 나가는 방식의 게임.

"좋다. 맡기마!"

포와링이 뿅뿅 뛰면서 스턴을 당해 감속한 고양이공주 친위대에게 성큼성큼 접근했다.

"부탁해, 슈!"

"일격으로 끝내주겠어. 오라 부스트! 소울 블레이드! 그리고 아코가 걸어준 엑스트라 대미지를 실으면! 그래, 이것이 바로 란란 일도류 오의!"

뭐야 그 검술? 언제 만든 건데?!

썰매를 뛰쳐나간 슈바인이 대검을 머리 위로 크게 들어올렸다.

◆슈바인 : 이그니션, 스매~시! (`·ω·´)

자가 버프의 효과를 일격에 방출한 슈바인의 스킬이 고양이공주 친위대의 썰매에 꽂혔다.

그리고 그 기세를 타고 단칼에 썰매를 깨부쉈다!

"해냈구나!"

"내 화력을 얕보지 말라고!"

"슈바인의 화력은 내가 길렀다."

"양육 받은 적 없거든!"

◆유윤 : 살아있는 것이…… 고통이야.

◆리미트 : 마중이 온 것 같구나…….

◆†클라우드† : 우리는, 아직 지지 않았드아아아아아아.

◆루시안 : 너희들 여유 있구나…….

썰매가 부서지자 타고 있던 팀 고양이공주 친위대가 설산으로 튕겨나갔다.

그건 즉, 대검을 휘두른 슈바인도 설산에 떨어질 수밖에 없다는 것.

"어, 어라? 아아아아아앗, 못 돌아가잖아아아아아아."

슈바인이 좌악 하고 눈을 흩뿌리며 설산을 굴렀다.

"아코, 슈. 너희들의 희생은 잊지 않으마!"

"이 승부, 이기자. 마스터!"

"당연하지!"

"아니, 살아있는데……."

썰매에서 떨어진 멤버는 스타트 지점으로 돌아갈 뿐, 물론 살아있습니다.

**◆세테 : 고양이공주 친위대가 앨리 캣츠의 공격을 맞고 다운! 썰매가 부서져서 실격입니다! 눈사람으로 대폭발을 일으킨 건 분명 그들이겠죠. 스피드를 줄이지 않고 계속 달려가고 있습니다!**

세테 씨의 중계도 열을 띠었다. 우리도 질 수 없지.

"음. 바츠와 검은 마술사가 보인다."

"저 녀석들도 상당한 대미지를 입었네."

지금껏 줄곧 두 팀끼리 공방을 펼쳐온 것이리라. 바츠의 썰매나 검은 마술사 씨의 썰매도 너덜너덜했다.

게다가 눈사람의 폭발을 맞고 속도가 크게 떨어졌다.

두 팀 다 탱커는 있는 것 같지만, 그 방어를 뛰어넘을 정도의 공방이 있었던 거겠지.

"이건 이길 수 있다. 마지막 스타를 써서 녀석들의 옆을 추월하자!"

"그래. 기본 속도가 다르니까 충분히 앞지를 수 있어!"

이대로 일직선으로 결승점으로 향하면 우리는 이길 수 있다.

하지만 그렇게 되면 결승전에 나오는 게 누구인지 알 수 없다.

다음 시합도 이기기 위해 마지막으로 누군가를 방해해야 한다면…….

"……마스터, 발렌슈타인 옆을 지나가줘."

"음…… 설마 루시안 너."

"검은 마술사 씨한테는 빚이 있으니까, 그걸 갚아야지."

"……알았다. 무운을 빌겠다!"

완전히 죽으러 가는 전사의 대사인데 그거.

"간다! 마지막 빅 포와링이다!"

세 번째로 포와링이 거대화해서 단숨에 속도를 올렸다.

감속한 선두 집단이 점점 다가왔다.

"얼마 안 남았다. 준비는 됐나!"

"해내겠어. 해내겠다고!"

나도 할 수 있다 이거야!

◆루시안 : 코로! 그때의 결판을 내러 왔다아아아아아!

◆코로 : 루시안?!

발렌슈타인의 아머 나이트, 이전에 진흙탕 대결을 벌였던 코로가 검은 마술사 씨를 향해 방패를 들고 있었다.

나는 썰매를 뛰쳐나가 코로를 향해 달려들었다.

우와아아, 썰매에서 점프하는 거 무서워!

◆코로 : 그런 뻔히 보이는 공격은…….

그리고 까앙 하고 튕겨나갔다.

물론 이런 뻔히 보이는 공격은 통하지 않았다. 대미지는 주지 못했지만…….

◆†검은 마술사† : 지금이다! 공격해라!

◆바츠 : 코로, 방패 이쪽이야!

◆코로 : 큭!

그건 커다란 빈틈이 되었다.

검은 마술사 씨 팀에서 공격이 날아와서 썰매의 내구력이 뭉텅뭉텅 깎였다.

그리고 고작 몇 초 만에 발렌슈타인의 썰매가 붕괴했다.

◆루시안 : 보았느냐, 즐기는 자들의 고집<u>ㅇㅇㅇㅇㅇㅇㅇ</u>을!

◆바츠 : 루시안 너 이 자시이이이익!

◆미즈키 : ^^;

우리는 사이좋게 설산을 뒹굴었다.

◆세테 : 여기서 발렌슈타인이 TMW의 맹공을 버티지 못하고 탈락! 루시안, 나한테는 개죽음처럼 보였지만 분명 의미가

있던 거라고 생각합니다!

있었어! 확실히 있었다고!

◆애플리코트 : 너희들의 유지를 이어서— 나는 이기겠다!

“안 죽었다니까.”

“혼자서 분위기 타고 있네.”

“아하하.”

◆세테 : 대역전입니다! 팀 앨리 캣츠, 애플리코트 선수가 1위로 골인! 다들 굉장하네!

우리가…… 아니 마스터가 멋지게 선두로 골 테이프를 끊었다.

◆세테 : 2위는 TMW, 검은 마술사 씨입니다! 그보다 3위 이하는 전원 실격입니다! 다들 치고받는 거 좋아하네! 그렇게 해서—.

중계석의 세테 씨가 손을 사악 흔들자 퍼펑 하고 불꽃이 솟구쳤다.

◆세테 : 고양이공주 씨 결혼 상대 쟁탈대회! 결승전 진출자는 애플리코트 선수와 검은 마술사 선수! 결승전은 이 두 사람이 치르게 되었습니다!

채팅창이 와아~ 떠들썩해졌다.

의외로 관객이 있네.

“저기, 보고 있으니까 꽤 재미있었다냐.”

“그쪽은 관객이 아니라 우승상품이거든요.”

"냐아……."

◆세테 : 그럼 결승전 내용을 발표하겠습니다!

"오, 중요한 부분이네."

"하기 쉬운 종목이면 좋겠는데……."

"뽑기 대결이라든가?"

세테 씨가 발표한 내용은—.

◆세테 : 진검승부입니다!

"엑?"

"지, 진검승부?"

설마, 여기까지 와서 진지한 결투?!

◆세테 : 고양이공주 씨를 둘러싼 대표자끼리의 승부! 승부 내용은 PvP 배틀 필드에서 일대일! 소비 아이템 금지인 단판승부입니다! 개최는 잠시 시간을 둬서, 오늘 밤에 열겠습니다. 여러분 부디 관전해주세요!

††† ††† †††

"마지막의 마지막에 와서 제대로 된 승부라니, 예상 밖이었군."

"상품은 선생님이니까, 선생님이 어느 쪽을 고르는 걸 결승전으로 하는 게 좋지 않아?"

"말은 그렇게 해도 말이지……."

마지막 정도는 제대로 맞부딪치지 않으면 참가자가 납득하지 않을 테니까.

결과가 정해진 레이스처럼 돼버리잖아.

"하지만 직접대결이라면 방금 시합에서 바츠를 떨어트린 건 잘 된 일이네."

"정말이야. 승산이 눈곱만큼도 없는 싸움이 될 뻔했어."

"그렇지만도 않을 텐데. 한 번은 이긴 상대다."

마스터의 의욕은 높이 사지만, 그건 무리야.

"조건을 들었잖아. 아이템 같은 건 못 써."

"그보다 또 그런 거금을 써서 이기는 것도 곤란해."

"사이토 교사를 위해서라면 다시 한 번 이그물을 사들이는 것도 개의치 않겠다."

"무슨 판단이야."

"돈을 시궁창에 버릴 생각인가요!"

"안녕. 시궁창이다냐."

아, 죄송합니다.

"게다가 아이템이 없더라도 무저항까지 가지는 않아."

"아니아니, 무리야."

"원콤으로 끝나겠지."

"오늘의 10할이에요."

"그, 그 정도냐."

그야 그렇지. 첫 공격에 바로 죽는다고.

"떼렛떼~."

"마~음~이~."

"이 눈에 비~."[#7]

"사망용 BGM을 흘리는 건 그만둬줬으면 하는데."

마스터는 떨떠름한 표정을 지으며 머리를 감싸 쥐었다.

"검은 마술사 씨도 충분히 강적이지만 말이지."

"고수이긴 하지만, 나도 같은 LW(로우 위저드)다. 질 생각은 없어."

응응, 열심히 했으면 좋겠다.

"하지만 일단은 안심이네."

"으응?"

"설령 마스터가 지더라도 우승은 검은 마술사 씨잖아. 뭐, 폐인이지만 멀쩡한 사람이고."

"아, 그러고 보니 그러네."

선생님은 약간 안심한 듯이 말했다.

"검은 마술사 씨…… 근데 입으로 말하니까 굉장히 부끄럽네, 그 이름. 어어, 그 길드 사람들하고는 던전도 자주 같이 도니까 그다지 무섭지는 않네. 고마워, 다들."

"감사해주셔도 괜찮아요!"

"이번에는 도움이 됐으니까, 아코."

"미니 게임도 어느 정도는 해둘까?"

---

**#7 떼렛떼~, 마~음~이~, 눈에 비~** 각각 게임 『북두의 권 ~심판의 쌍창성 권호열전~』일격필살 BGM, 게임 『전국 바사라 X』 일격필살 BGM, 게임 『멜티 블러드』오프닝. 모두 캐릭터가 특정 기술로 죽을 때 흐르는 특수 BGM이라 사망용 BGM으로 유명하다. 마지막만 실제 게임에는 나오지 않고 격투 게임 개조툴인 M.U.G.E.N 관련 소재.

평범하게 즐거웠으니까, 신춘 포와링 레이스.

"아니, 안 된다."

그러나 마스터는 고개를 내저으며 크게 팔을 펼쳤다.

"아무리 악인이 아니라 해도 거기에 사랑은 없다. 나는 그런 건 인정할 수 없어. 사이토 교사는 결단코 넘겨주지 않겠다!"

"그, 그렇게까지 생각하는 건 조금."

마스터의 교사애가 무거웠다. 고양이공주 씨는 기쁜 듯도 하고 곤란한 듯도 한 복잡한 표정으로 말했다. 아코의 애정에 짓눌리던 때의 나도 비슷한 표정을 지었던 걸까?

"결혼을 타협으로 해서는 안 되죠. 어쩔 수 없다, 이 사람이라면 인정할 수 있다, 그런 결혼으로는 행복해질 수 없다. 아코와 루시안을 보고 저는 그렇게 생각했습니다."

마스터는 그렇게 단언하고는 고양이공주 씨의 눈을 단호하게 바라봤다.

"그러니까 반드시 이겨서, 가슴을 펴고 당신을 맞이하겠습니다."

"고, 고마워."

"……사랑받아서 잘 됐네요."

"왕자님한테 듣고 싶은 대사다냐."

선생님은 미묘하다냐…… 라고 신음하면서 어깨를 으쓱했다.

"그럼 선생님은 돌아갈게. 밤의 결전, 힘내."

자물쇠는 잠그렴, 이라고 가볍게 말한 선생님은 그대로 부실을 나섰다.

"선생님, 안심한 것 같네."

"다행이네요."

"열전을 제패한 보람이 있었군."

마스터는 그렇게 말하며 스윽 눈을 가늘게 떴다.

"너무나도 즐거운, 마지막 추억이 되겠어."

"……마지막?"

"마지막이라니, 무슨 일 있어?"

"타이밍을 잡지 못해서 말하지 못했다만— 부모님께서 맞선 이야기를 가져오셨거든."

"마……."

"맞선?!"

엥, 맞선?!

진짜로?! 그런 게 지금도 있어?!

"맞선이라니 어어, 오늘은 날씨도 좋고…… 같은 그거?"

"나머지는 젊은이들끼리…… 같은 그거?"

"취미는 뭔지…… 같은 그건가요?"

"아니, 너희들의 인식은 잘 모르겠다만…… 그 맞선이다. 전에 부모님이 기뻐하셨다고 했었지? 그 후에 맞선 이야기를 하시더군. 아마 여느 때처럼 농담이라고 생각하지만, 시기가 시기인지라 정말로 약혼까지 하게 될지도 몰라."

"에, 에에에에엑?!"

"우와아, 그런 일도 있네요."

마스터의 어머니도 비슷한 나이에 약혼을 했다고 했었으니까.

"정식으로 약혼을 한다면 아무리 그래도 매일 온라인 게임 삼매경으로 보낼 순 없겠지. 이렇게 전력을 다해 이벤트에 참가할 기회는 사라질지도 몰라."

"그럴 수가……."

"게임도 은퇴?"

"은퇴는 피하고 싶다만…… 최악의 경우는, 그렇겠지."

고양이공주 씨의 은퇴는 착각으로 넘어갔는데, 이번에는 마스터가 그만둔다고?

"아니아니 그건 안 되지!"

"안 된다고 해서 어떻게 넘어갈 수 있는 것도 아니다만."

그렇게 간단히 포기하면 안 되잖아!

은퇴라고 은퇴! 게임 그만둬야 한다니까!

"마지막일지도 모른다. 그러니 전력으로 해내고 싶어."

"어딘가에서 들은 것 같은 대사인데요?!"

"이 대회가 끝나면, 마스터는 사라질 거야!"

"너…… 사라지는 거야?"

"뭔가 다른 게 섞였는데요?!"

개그를 하고 있을 때가 아니야!

모두와 이야기를 하고 있으면 바로 이렇게 개그 토크를 해버린다니까!

하지만 뭐라고 말하지…… 맞선 같은 건 그만둬! 라든가…… 하지만 내가 말하는 건 좀 아닌 것 같다.

"…………."

"…………."

나도, 아코도, 슈도, 서로를 바라보면서 아무 말도 하지 못했다.

분명 비슷한 생각을 하고 있을 것이다.

"그러니 오늘밤의 싸움은 전력으로 임하겠다. 응원해다오."

"으, 응."

"열심히 해주세요."

"모두를 위해서라도, 나는 이기겠다!"

기합을 넣는 마스터에게 우리는 공허한 응원을 보낼 수밖에 없었다.

††† ††† †††

휴일이라고는 해도 부활동을 하는 학생들은 등교한다.

운동장을 달리거나, 연주 연습을 하는 학생을 슬쩍 바라보면서 학교를 나섰다.

보통은 아코랑 둘이서 돌아가지만, 오늘은 또 한 명.

"맞선이라니, 진심일까?"

빈손으로 걷던 세가와가 추워 보이는 양손을 비비면서 말했다.

"농담으로 말한 걸로는 보이지 않았지……."

"그치만 맞선이 잘 되지 않는 경우도 있잖아요?"

"으음, 글쎄. 높은 사람들의 맞선은 참가하면 벌써 약혼한 거나 다름없다는 설정일지도 모르잖아."

"그 설정, 지옥 아니야? 가보니까 괴물 같은 녀석이 기다리고 있으면 어쩔 건데."

"못생겼네. 커뮤니티 나갈래, 라고는 말할 수 없을 거 아냐."

"말할 수 없지."

맞선이라는 건 그렇게 큰일인 걸까. 소개해준 사람과의 관계 같은 게 있어서 간단히 거절할 수 없다거나…… 아니, 잘은 모르겠지만.

"문제는 마스터의 생각이네."

"본인은 이것도 의무 같이 느끼는 것 같아서 태연해보이지만……."

"그치만 마스터도 불안한 거라고 생각해요."

아코가 내 장갑을 낀 손으로 불안한 듯이 나를 건드렸다.

"타협한 결혼은 안 된다거나, 사랑이 없는 결혼은 행복해질 수 없다거나, 그런 소리를 했었는걸요."

"……말했었지."

"사랑이 없는 결혼을 하게 되는 거야?"

"아니, 지금 시대에 그런 일이 있기는 해?"

"없다고 딱 잘라 말할 수 있어?"

"……아니, 잘 모르겠는데."

"마스터의 사생활에 대해서는 전혀 모르니까요."

"하긴 그러네."

단편적인 정보는 있지만 실제로 어떻게 살고 있는지는 전혀 모른다.

하지만 그건 딱히 특별한 일이 아니라, 온라인 게임에서는 당연한 일이란 말이지.

"애초에 실제로 만날 때까지는 다들 전혀 몰랐으니까."

"현실 정보는 억지로 묻지 않는다는 규칙 같은 게 있긴 하죠."

내가 게임과 현실은 다르다고 생각하는 이유 중 하나이기도 한데, 온라인 게임에는 신사협정이 있다.

종종 미용실에 가면 듣는 말 있잖아.

『무슨 일을 하고 계신가요?』

『나이는 어떻게 되세요?』

『쉬는 날에는 뭘 하시나요?』

그런 걸 전혀 묻지 않는다고.

이야기를 나누고 싶은 사람이라면 물어보지만, 누가 묻지 않는다면 말하지 않아.

온라인 게임에 빠진 사람은 다들 나름 사정이 있는 경우가 있어서 어디에서 지뢰를 밟을지 모르니까 그런 걸 피하거든.

"하지만, 이건 현실에서 친해지더라도 변하지 않더라."

"그다지 사생활에 대한 걸 말하지 않으니까요……."

가정에 대해서라거나, 평소에 하는 거라거나, 옛날 일 등등, 현실에서 친해졌음에도 이런 이야기는 잘 하지 않았다.

나는 여동생에 대한 걸 반년 이상 말하지 않았으니까.

세가와도 오빠가 있다고는 하는데 그 이야기를 들은 적은 없다.

어쩌면 물어선 안 되는 걸지도, 라고 생각해서 좀처럼 파고들지 못했다.

아코조차도 옛날 일은 제대로 듣지 못했다. 트라우마만 있는 것 같은 중학교 시절 이야기라든지, 고등학교 입학 초기 이야기 같은 건 전혀 모른다.

매일 만나는데도, 사이도 좋은데도, 실은 아무것도 모른다는 일도 자주 있다.

온라인 게임에서 만난 동료에게는 그런 부분이 있었다.

"나, 그다지 게임 속 교우가 넓은 편은 아니지만, 친구가 된 애도 있었어."

"응."

조용히 이야기를 시작한 세가와에게 고개를 끄덕이며 재

촉했다.

“길드가 달라서 가끔 만나는 정도였지만, 줄곧 평범한 이야기를 했었어. 동갑일지도 모르고, 어른일지도 모르고, 훨씬 연하일지도 모르지만 딱히 신경 쓸 필요 없을 것 같아서.”

“게임 속이라면 상관없으니까요.”

“그래, 상관없었어. 상관없으니까 아무것도 묻지 않았어. 때때로 만나서 이야기하는, 그 정도의 관계로 오래 지내왔는데…….”

조금 시선을 위로 올린 세가와는 뭔가를 떠올리듯이 말을 이었다.

“어느 날 내가 말했어. 오늘은 오랜만에 볼링을 해서 팔에 힘이 안 들어가는구만. 이 몸이 이런 실수를, 조작을 실수할 지도 몰라, 라고.”

그 말투, 현실에서 말하니까 의외로 귀엽네.

“평범한 이야기네.”

“맞아. 평범했어. 평범했다고 생각했어. 하지만…… 걔가 그러더라. 난 몸이 약해서 그런 걸 해본 적이 없어…… 라고.”

“몸이 약한 사람이었나 보네요…….”

아코가 안타까워하며 시선을 내렸다.

“아니야.”

“……네?”

거기서 굳은 목소리가 겹쳤다.

"나, 자세하게 묻고 말았어. 몸이 약하다니 괜찮은 거냐고. 온라인 게임을 해도 괜찮은 거냐고. 무리하지 말라고, 배려할 생각으로. 그랬는데……."

세가와가 스읍 하고 작게 숨을 내쉬었다.

"걔, 사고로 양발을 움직이지 못한다더라."

"아……."

"그랬나……."

"게임을 하는 데는 곤란하지 않다며 웃었지만…… 분명 화면 너머에서는 웃지 않았을 거야. 내가 쓸데없는 걸 물어서, 몰라도 되는 걸 물어서……."

세가와는 아아아아 하고 이상한 목소리로 신음했다.

"게임 속에서는 다리가 움직이던 시절과 변함이 없다는, 뭐 그런 이유로 하고 있었던 건 아니라더라. 그저 온라인 게임이 즐거워서 하는 거고, 물어본 뒤에도 딱히 변한 건 없었어. 내가 뭔가 할 수 있는 것도 없었고, 반대로 곤란한 일도 없었으니까. 하지만, 여러모로 생각해봤는데…… 역시 묻는 게 아니었다 싶더라."

"응…… 그런 일도 있지. 나도 있었어."

나도 몇 년이나 온라인 게임을 해왔으니까, 그런 사람을 만난 적이 있다.

효과음으로 발동을 알 수 있는 공격을 좀처럼 피하지 못하는 사람이 있었는데, 실은 귀가 들리지 않는 사람이었다거나.

스크린샷을 봤더니 채팅 윈도우가 엄청 크게 표시되어 있었는데, 실은 눈이 나빠서 작은 글자를 보지 못한다거나.

여러 사람이, 정말로 여러 사람이 있었다.

"온라인 게임 말고는 취미가 없는 데다 친구다운 친구도 없다거나. 거의 등교거부 상태라 온라인 게임밖에 안 한다거나. 현실에서는 오타쿠인 걸 감추고, 여기 말고는 이야기를 하지 못한다거나…… 그런 뒷사정은 굳이 파고들기를 바라지 않으니까."

"정말 그렇지."

"그런 말을 들으면 마치 제가 엄청 글러먹은 아이처럼 들리는데요."

"글러먹은 아이였어."

온라인 게임 안에는 여러 사람이 있다.

현실과 전혀 변함없이, 똑같이, 수많은 사람이 있다.

사실은 그뿐인 일이라고 생각하지만…….

"마스터한테도, 못 물어보겠지."

"못 물어보겠죠~."

"마스터네 집은 대체 어떤데? 라고…… 물어보는 게 무섭잖아."

하아, 하는 한숨만이 겹쳤고, 아무것도 변하지 않은 채 발걸음만 앞으로 나갔다.

멋대로 움직이는 발걸음과는 정반대로, 우리는 몇 년이나 함께 싸워온 동료에게, 아주 약간의 발걸음조차 내밀지 못하는 상태였다.

"그치만 마스터, 정말로 맞선을 할 수 있을까요……."

"……못하지 않을까?"

"그게 문제네……."

이중의 의미로 걱정이었다.

††† ††† †††

◆아코 : 그런고로 시작되었습니다. 고양이공주 씨 결혼 상대 쟁탈대회, 결승전!

이곳은 제도 로드스톤에 있는 가장 커다란 대인전 필드, 투기장.

관객석에는 많은 플레이어가 모여서 개전의 시간을 기다리는 중이다.

◆디 : 기다렸다고!

◆유윤 : 고양이공주 씨~, 누구와도 결혼하지 말아줘어!

◆리미트 : 돌아와줘!

◆바츠 : 지지 마라 애플리코트!

왠지 무서운 사람의 응원이 날아오는데.

그리고 나는 어째서인지 관객석이 아니라—.

◆아코 : 오늘의 중계는 저 아코. 해설에는 결승전까지 진출한 애플리코트 선수의 소속 길드, 앨리 캣츠의 서브 마스터! 그리고 제 남편! 루시안이 와주셨습니다. 잘 부탁합니다!

◆루시안 : 하아…… 잘 부탁합니다.

왜 내가 해설이냐고?!

게다가 왜 중계가 세테 씨에서 아코로 바뀐 건데?

◆세테 : 둘 다 힘내~.

◆아코 : 관객석에서 응원을 보내고 계신 분이 저번 중계자입니다. 지쳤으니까 뒤를 부탁한다고 합니다.

◆루시안 : 그런 중계는 필요 없어!

이래선 나는 그냥 덤으로 말려든 거잖아!

◆유윤 : 해설은 집어치우고 세테 씨 내보내~.

◆카보땅 : 돌아가~.

◆루시안 : 왜 해설한테 야유인데?!

나도 하고 싶어서 하는 게 아니라고!

일행들하고 다른 곳에 배치됐단 말이야!

중계석은 관객석보다 높은, 투기장을 한눈에 볼 수 있는 위치에 있다.

투기장에서 거리를 두고 마주 선 두 플레이어— 그리고 우승상품의 모습도 확연히 보인다.

◆아코 : 대전을 벌이는 건 팀 앨리 캣츠 대표, 애플리코트 선수와 팀 TMW 대표, 검은 마술사 선수입니다.

◆애플리코트 : 잘 부탁하마.

◆†검은 마술사† : 잘 부탁합니다.

◆아코 : 회장에서는 선수끼리 악수를 나누며 깨끗한 승부를 맹세하고 있습니다.

세테 씨에 뒤지지 않을 정도로 신났네, 아코.

혼자라면 긴장해서 말을 못하니까 내가 옆에서 해설을 하는 처지가 되었지만.

◆아코 : 이 시합의 규칙은 간단합니다. 소비 아이템 사용을 금지한 순수한 결투. 투기장 바깥에 있는 플레이어는 조력 금지입니다.

알기 쉬운 규칙이다. 회복 아이템 소지량도 생각해서 빌드를 짜는 직업이라면 불만도 있겠지만, 일격이 무거운 마법사끼리라면 아이템이 없어도 괜찮다.

◆아코 : 대미지 판정은 하프, 즉 통상 대미지의 50퍼센트로 설정했으므로 괜찮을 거라 생각합니다만, 심판 겸 상품인 고양이공주 씨를 격파하지 않을 것. 그리고 먼저 쓰러진 쪽이 패배! 규칙은 이상입니다!

화력형 직업끼리 싸우는 거니까 원 미스로 끝나지 않도록 대미지는 하프다.

정말로 실력과 캐릭터 스펙의 승부로군. 과연 마스터가 저 검은 마술사 씨에게 이길 수 있을까?

◆루시안 : 잘도 오타 없이 쳤네.

◆아코 : 대본이 있으니까 복사해서 채팅창에 붙여 넣었을 뿐이에요.

준비가 완벽했다!

◆아코 : 그런데 해설인 루시안, 이 시합을 어떻게 생각하시나요?

◆루시안 : 어? 으음, 두 사람의 장비 스펙에 큰 차이는 없다, 고 생각해. 적어도 마스터…… 애플리코트보다 확연하게 격이 높은 장비 같은 건 본 적이 없으니까.

◆아코 : 그럼 승부를 가르는 건 뭐라고 생각하시죠?

◆루시안 : 조작 기술, 게임 지식과 그때의 운, 여차할 때의 빠른 머리회전.

나머지는…… 조금 생각한 뒤—.

◆루시안 : 하지만 마지막으로는 고양이공주 씨에 대한 사랑이 결정적인 요인……이 되지 않을까 싶어.

◆아코 : 네. 아내 말고 다른 사람에게 다정한 소리를 하는 건 좋지 않다고 생각해요!

그건 중계가 아니라 아코의 감상이잖아! 나는 좋은 소리를 했다고!

게다가 뭐, 진심어린 마음이기도 하다.

두 사람 사이, 조금 떨어진 지점에서 불안해하는 고양이공주 씨를 보면 사랑이 있는 편이 이겼으면 좋겠다고 생각하니까.

◆아코 : 그럼 두 분, 준비는 되셨나요?

◆애플리코트 : 음.

◆†검은 마술사† : 언제라도 좋아.

천천히 무기를 꺼낸 두 사람이 서로를 마주 봤다.

눈에 보이지 않는 마력 같은 것이 부딪치는— 그런 기분이 들었다.

◆아코 : 그럼 고양이공주 씨. 부탁합니다.

◆고양이공주 : 우우…… 이제 될 대로 되라냐!

고양이공주 씨는 척, 한 손을 펼쳤다.

◆고양이공주 : 시합, 개시다냐!

짜자~안, 하는 징소리가 울리며 싸움이 시작됐다.

관객이 보기 쉽도록 두 사람의 머리 위에 HP바가 나타났다.

◆아코 : 자, 운명의 시합이 시작됐습니다— 하지만 그다지 움직임이 없네요.

◆루시안 : 상급자끼리니까 역시 탐색전부터 들어간 거지.

섣불리 다가가지 않고, 간격을 계산하면서 서로의 빈틈을 찾고 있다.

한 번의 미스가 즉사로 이어지는 화력은 아니라고 해도, 한 방은 충분히 크다.

◆†검은 마술사† : 뭐, 이렇게 마주 보고 있어봐야 어쩔 수 없나.

훗 하고 웃은 검은 마술사 씨가 지팡이를 내밀어 휘둘렀다.

그러자 검은 마술사 씨 눈앞에 부와앙, 하고 커다란 마법진이 출현했다.

◆아코 : 앗, 검은 마술사 선수가 먼저 치고 나왔습니다! 어어, 저건…….

◆루시안 : 화 속성, 긴 영창이 필요한 대마법, 미티어 스트라이크.

◆아코 : ……라고 합니다! 처음부터 대마법인데…… 이거, 닿기는 하는 건가요? 이거 괜찮은 건가요?

확실히 검은 마술사 씨의 영창 마법진은 마스터에게까지는 닿지 않았다. 무사히 영창을 종료하더라도 마스터에게는 조금도 대미지가 들어가지 않는다.

—그러나.

◆루시안 : 괜찮다고 생각해. LW(로우위저드)의 최대 사정거리는 대마법의 끄트머리까지거든. 섣불리 빈틈을 주지 않고 움직일 거라면 나쁜 선택은 아니야.

◆아코 : 그, 그렇군요. 반면 애플리코트 선수는—.

아코가 그렇게 타자를 치던 무렵, 이미 마스터는 움직이고 있었다.

아니, 움직임이 끝난 상황이었다.

◆아코 : 엥? 애플리코트 선수, 앞으로 나왔습니다! 마법진으로 뛰어들어서…… 어라? 마법진이 사라졌다?

마스터가 앞으로 나오더니 일정 거리에서 우뚝 멈췄다.

동시에 미티어 스트라이크의 마법진이 사라지고, 검은 마술사 씨가 뒤로 물러났다.

마스터도 쫓지 않았고, 다시 거리가 벌어졌다.

오오, 심오한 공방전인걸…….

◆아코 : 지, 지금 이건 뭐죠?

◆루시안 : 보는 대로, 검은 마술사 씨가 마법을 캔슬한 거야.

◆아코 : 어, 어째서죠? 그냥 계속했으면 맞췄을 텐데…….

◆루시안 : 아니, 안 맞아. 마스터의 움직임이 좋았어. 사출 마법을 가까스로 맞춘 뒤에 미티어가 떨어지기 전에 탈출할 수 있는, 그런 아슬아슬한 타이밍과 거리였거든.

◆아코 : 엑, 지금이 그런 고도의 공방전이었나요?

◆루시안 : 중계인 아코는 어떻게 보고 있었는데?

◆아코 : 아뇨 그게, 마스터가 앞으로 나온 게 무서워서 도망친 건줄…….

◆루시안 : 너 말이야…….

아코의 솔직한 반응에 관객석에서도 웃음소리가 나왔다.

그 마음은 모르는 바가 아니지만, 검은 마술사 씨가 그런 레벨의 사람이냐고.

◆루시안 : 시험해본 거야. 상대가 어느 정도의 상대인지.

◆아코 : 어떻게 움직이는지 말인가요?

그리고 마스터의 움직임은 경계하기에 충분한 정도였던 모양이다.

◆애플리코트 : 그쪽이 움직였는데 내가 기다리는 것도 비겁한 이야기인가.

마스터가 무기를 슬쩍 들었다.

동시에 눈앞에 하얀 마법진.

◆아코 : 애플리코트 선수 앞에도 마법진이 나왔습니다! ……어어, 이건?

◆루시안 : 수 속성, 긴 영창이 필요한 대마법인 퍼펙트 블리자드. 슬슬 기억하자.

◆아코 : 그렇다고 합니다! 이건 조금 전과 같은 견제인 걸까요?

◆루시안 : 글쎄다. 모종의 의도가 있는 마법이라고 생각하는데…….

◆아코 : 반면 검은 마술사 선수는 움직이지 않습니다. 마법 사정거리에서 아슬아슬한 곳에 진을 치고 영창 종료를 기다리고 있네요.

◆루시안 : 쏴봤자 쓸데없이 MP를 소모할 뿐이라면 방치하는 것도 나름의 전략이니까. 아니면…… 마스터의 움직임을 기대하고 있는 걸지도.

저 즐거운 표정을 보면 오히려 그쪽일 법했다.

그리고 마스터의 마법은 캔슬되지 않고 발동했다.

◆아코 : PB가 발동, 눈보라가 떨어지지만 검은 마술사 선수에게는 맞지 않습니다.

◆루시안 : 사정거리 밖이니까 당연하지. 하지만—.

◆아코 : 앗, 애플리코트 선수가 자신이 쏜 눈보라 속으로 뛰어들어서— 응, 어, 아앗?

눈보라 속에서 번갯불이 번쩍이더니, 동시에 푸른 얼음기둥이 날아왔다.

순간적인 격렬한 이펙트, 그리고 마법이 히트하는 소리.

눈보라가 개이자 어느 정도 HP가 깎인 두 사람의 모습이 나타났다.

◆아코 : ……무슨 일이 있었던 거죠?

◆루시안 : 자자, 중계 힘내.

포기하지 마! 포기하지 말라고!

◆아코 : 저기, 그게, 애플리코트 선수가 눈보라 속에서 마법을 쏜, 것 같습니다.

설명 한 번 대충이네.

◆아코 : 검은 마술사 선수도 카운터로 마법을 쏴서 서로에게 직격한…… 거겠죠?

◆루시안 : 으음. 그렇게 간단한 공방전은 아니었어.

왜 내가 진지하게 해설하고 있는 건가 싶은 생각은 들지만 일단 직무는 완수하기로 했다.

◆루시안 : 시야를 가로막고 기습을 거는 건 평범해. 화려한 이펙트를 이용해서 눈을 가리는 마법도 많으니까. 이런 전술은 자주 쓰는 거지만…… 그 이후부터가 중요해. 저기

봐봐, 두 사람의 HP는 그다지 깎이지 않았잖아.

◆아코 : 아…… 그러네요. 대미지는 절반이라도 좀 더 깎였어야 했는데요?

단발 직사마법 한 발이라고는 해도 화력 특화인 마법사들이 서로 맞췄는데 HP가 5퍼센트 정도밖에 깎이지 않은 건 너무 적다.

◆루시안 : 게다가 애플리코트가 쓴 건 직사마법인 선더스피어. 방향을 지정해서 쏘면 되는 번개 마법이야. 하지만 애플리코트의 특기 마법은 불과 얼음. 왜 저걸 골랐다고 생각해?

◆아코 : 어어…… 어째서일까요?

◆루시안 : 이유는 두 사람의 방어구 속성에 있어.

보라는 듯이 두 사람을 가리켰다.

◆루시안 : 검은 마술사 씨의 주변에는 어렴풋한 노란색 오라가, 애플리코트의 주변에는 푸른 오라가 보이지?

◆아코 : 아, 네. 저건 속성 방어구의 빛이네요.

그렇다. 아코가 싫어해서 그다지 입지 않는 속성 내성 방어구의 빛이다.

◆루시안 : 속성 내성 방어구는 특정 속성의 공격을 대폭 감소시키지만, 그 대신 반대 속성의 대미지는 증가시켜. 알고는 있지?

◆아코 : 네. 불꽃의 로브를 입으면 눈보라가 아파져요.

그래. 그런 녀석이야.

◆루시안 : 애플리코트가 선더 스피어를 고른 이유는 처음에 쓴 PB를 경계한 검은 마술사 씨가 수 속성 방어구를 입었을 거라고 예측했기 때문이야. 실제로 상대가 눈보라에 돌진할 때까지는 푸르게 빛나고 있었어. 하지만 검은 마술사는 바로 그것을 깨닫고 장비를 뇌 속성으로 변경한 거지.

◆아코 : 그 한순간에 장비교환을 한 건가요?

◆루시안 : 그 한순간에. 예상에 확신이 있었던 거겠지. 검은 마술사 씨는 선더 스피어를 맞으면서 마법을 쐈어. 단발 직사인 아이스 볼트. 공격 직후라 빈틈을 보인 애플리코트는 그것을 맞았지만, 이쪽도 그것을 읽었으니까—.

◆아코 : 대미지가 적었던 거군요. 어째서 얼음을 쏠 거라는 걸 알았던 걸까요?

그것에는 마스터가 대답했다.

◆애플리코트 : 눈보라 안에 있는 내가 가장 인식하기 어려운 마법을 쏠 거라고 생각해서 말이지.

◆†검은 마술사† : 으음, 만만치 않네.

검은 마술사 씨는 곤란하다는 듯이 고개를 내저었다.

여유 있는 동작에는 아직 바닥이 보이지 않았다.

◆아코 : 순간적인 공방이었습니다만 왠지 굉장한 응수가 있었던 모양입니다!

◆루시안 : 마법사끼리의 싸움은 마법과 속성을 오고가는

심오한 싸움이 되는 게 재미있다니까.

오오오오, 하고 투기장에서 이상한 환성이 나왔다.

◆루인 : 잘 모르겠지만 그런 상황이었구나.

◆너구리 사부 : 해설이 제대로 해설하고 있다구리.

◆슈바인 : 꽤 하는데?

왜 이런 곳에서 평가를 받고 있는 건데?! 그런 감탄은 필요 없거든?

◆아코 : 그럼 지금 공방은 호각이었던 건가요?

◆루시안 : 아니, 틀렸어. 명백하게 애플리코트가 불리해.

◆아코 : 어…… 그건 어째서죠?

◆루시안 : 아이스 볼트는 둔화 효과를 줘. 수 속성을 올렸으니까 효과는 적겠지만, 그럼에도 이동속도는 떨어져.

◆†검은 마술사† : 그래. 그렇게 되지.

왜 조금 전부터 해설에 대답을 하는 건데. 이 출전 선수들.

◆†검은 마술사† : 애플리코트 씨는 정말로 실력이 좋네. 조작은 정확하고, 사정거리도 정확히 파악하고 있어. 스킬 특성도. 하지만…… 경험이 부족해.

검은 마술사 씨가 훗 하고 웃으며 앞으로 나왔다!

◆애플리코트 : 큭!

그에 호응해서 마스터가 슬금슬금 뒤로 물러났다. 하지만 그 속도는 명백하게 느렸다.

◆†검은 마술사† : 그 상태에서 공격을 어떻게 피할지 모

르겠지?

◆아코 : 지금 조작을 하면서 채팅을 치고 있는 건가요?!

그 중계는 필요 없어!

검은 마술사 씨는 마법 사정거리를 가늠하며 즉시 마법을 쐈다.

◆아코 : 또다시 아이스 볼트입니다! 애플리코트 선수, 피할 수 없습니다.

◆애플리코트 : 음…….

이동속도 저하 상태는 움직임의 감각이 다르다.

피할 수 있어야 할 마법도 피하지 못하게 된다.

검은 마술사 씨는 그대로 아슬아슬한 사정거리를 유지하며 마법을 쐈다.

◆아코 : 이거 힘들겠네요. 애플리코트 선수, 이대로 가면 무저항으로…… 어라?

◆루시안 : 그렇게 생각했는데, 피하고 있네…….

어찌된 영문인지 피하고 있다.

보고나서 피하는 게 아니라, 예측해서 되받아치며 날아오는 마법을 피하고, 반격까지 넣고 있었다. 방어구 변경도 매끄러워서 공격 대미지를 꽤나 상쇄하는 모습이 보였다.

◆아코 : 저기, 어떻게 피하는 거죠?

◆루시안 : 어째서인지는 모르지만, 애플리코트가 둔화 상태에서의 조작에 익숙하다고밖에는…….

왜 둔화 상태에서의 조작이 익숙한 건데, 저 사람.

나는 적의 대군에 포위되는 상황이 많으니까 자연히 둔화에도 익숙해졌지만.

◆애플리코트 : 음, 거긴가!

◆†검은 마술사† : 앗?!

움직임의 빈틈이 보였는지 마스터가 잠깐의 충전이 필요한 중급 마법, 플레임 차지를 쐈다. 소규모 광역 공격을 피하지 못한 검은 마술사 씨의 HP가 크게 감소했다.

굉장하네, 마스터. 저 상황에서 큼지막한 기술을 맞추다니!

◆아코 : 게다가 커다란 반격까지 먹였습니다! 마스터 대단하네요!

어이 중계, 내용이 편파적으로 변했잖아.

◆†검은 마술사† : 으음, 이거 의외인걸. 어떻게 그렇게 피할 수 있지? 몬스터가 상대라면 둔화 같은 건 바로 해제를 받을 수 있으니 익숙해질 기회가 없잖아?

◆애플리코트 : 하하하, 그 무슨 물러터진 소리냐.

마스터는 호쾌하게 웃으며 지팡이를 부웅 휘둘렀다.

◆애플리코트 : 우리 길드의 힐러는 둔화 치료 같은 건 해주지 않는단 말이다!

◆†검은 마술사† : ……아아, 그래서…….

그, 그래서 둔화 조작이 익숙해졌구나…… 괴로운 사실이 밝혀지고 말았다…….

◆아코 : 방금 중계자의 정신에 커다란 대미지가 들어왔습니다!

◆루시안 : 자업자득이므로 앞으로는 노력해줬으면 좋겠네요.

◆아코 : 그건 해설하지 않아도 돼요!

◆†검은 마술사† : 속성도 읽힌 것 같네. 처음 얼음은 통했지만 숫자가 많은 화 속성 마법으로 영역을 좁혀서 화염 내성으로 막고 있어. 그래서 대미지가 생각보다 적어.

◆애플리코트 : 처음 견제마법으로 불을 썼더군. 견제라고는 해도 익숙한 마법을 고른 거겠지. 그래서 결정타는 불이라고 읽었다.

◆†검은 마술사† : 상대하기 어렵네.

◆애플리코트 : 최대급의 찬사다.

두 사람이 거칠게 웃었다. 이 싸움 속에서 우정이라도 싹튼 건가.

◆루시안 : 아무튼, 애플리코트가 밀리고 있다고 생각해왔지만 큰 기술을 맞춰서 HP로는 호각이야. 서로의 남은 HP는 70퍼센트 정도. 아직 더 할 수 있겠어.

◆아코 : 열심히 해주세요!

◆†검은 마술사† : 으~음. 편파적인 중계진이네.

◆애플리코트 : 미안하군.

이런, 나까지 그만 마스터 중심으로 해설을 하고 말았다.

그치만 어쩔 수 없잖아. 열심히 해줬으면 하니까!

◆†검은 마술사† : 너희들의 그런 부분은 싫지 않으니까, 보고 있으면 재미있고ㅋ

◆애플리코트 : 칭찬해도 아무것도 안 나온다만?

◆†검은 마술사† : 그 부분을 양보해서 뭐라도 좀 내줬으면 좋겠는데. 예를 들면 그래, 전부 우리 길드로 오지 않겠어? 고양이공주 씨랑 함께. 환영할 텐데?

◆애플리코트 : 우리는 앨리 캣츠라고 했을 텐데. 길고양이는 길에서 살아야 하지.

◆†검은 마술사† : 길고양이이기 때문에 길들이고 싶은 건데…… 어쩔 수 없나. 그럼 미안하지만 이기도록 하겠어.

정말로 가볍게, 검은 마술사 씨는 그렇게 말했다.

◆애플리코트 : 당연히 이길 수 있다는 표정이군.

◆†검은 마술사† : 미안하지만 이길 수 있어. 너는 기술도 장비도 지식도 머리회전도 있지. 하지만, 결정적인 약점이 있어.

◆애플리코트 : 약점……?

의문부호를 띄우는 마스터에게, 그는 한 마디로 대답했다.

◆†검은 마술사† : 너는 레벨이 부족해.

동시에, 검은 로브가 펄럭였다.

◆아코 : 아앗, 왠지 험담 같은 소리를 한 검은 마술사 선수가 단숨에 돌진해왔습니다! 빠, 빠르네요! 마법사의 속도가

아닙니다!

◆루시안 : 장비 아이템이네. 페가수스 망토로 이동속도를 올린거야.

◆아코 : 아이템 사용은 금지 아닌가요?!

◆루시안 : 소비 아이템만 금지일 뿐이야. 충전식 장비 아이템은 금지되지 않았어.

◆아코 : 치사해요!

치사하지 않아. 규칙대로니까.

오히려 저 속도를 어떻게 쓰는지가 문제야. 빠르다고 반드시 유리한 것만은 아니니까.

◆아코 : 검은 마술사 선수, 일직선으로 거리를 좁혀서 쭉쭉 앞으로! 에에엑, 이거 마법의 간격인가요?!

◆루시안 : 가까워! 이건 근접의 간격이야, 저래선 마법을 피할 수 없어.

거리가 너무 가까워서 모션을 보고 나서 회피할 수는 없어!

그래서 서로가 쏜 마법이 족족 직격하여 두 사람 모두 HP가 쭉쭉 깎여나갔다.

HP가, 쭉쭉 깎여—.

◆루시안 : 아, 아아…… 그런 건가…… 마스터의 약점…….

◆아코 : 어, 저기, 해설의 루시안?

◆루시안 : 검은 마술사 씨가 말한 그대로야. 레벨이 부족해.

장비는 결코 뒤떨어지지 않는다. 그래서 지지 않을 거라고 생각했지만, 아니다.

확실히 차이가 나는 부분이 있다. 맞다, 레벨이 부족한 거다.

◆아코 : 하지만 애플리코트 선수도 레벨은 낮지 않은데요?

◆루시안 : 우리 입장에서 보면야 레벨 96 정도 되면 충분하겠지. 하지만 검은 마술사 씨는 달라. 레벨이 훨씬 더 높아.

LA는 그런대로 레벨이 빨리 오르는 MMO지만 후반부의 렙업은 힘들다.

특히 레벨 90 이후는 좀처럼 오르질 않아서, 사망 페널티를 자주 당하는 사람은 아무리 해도 레벨이 오르지 않는다.

그럼에도 진정한 폐인은 착실하게 경험치를 모아서 레벨을 100 이상까지 올린다.

그런 사람과 비교하면 96이라는 레벨은 딜링이든 체력이든 크게 떨어진다.

◆루시안 : 저 거리에서는 뭘 쓰더라도 맞아. 서로 마법을 계속 연타한다면 장비 변환도 제대로 못할 거고. 그야말로 난타전이야. 그렇게 되면, 장비와 레벨이 승부를 판가름해.

◆아코 : 그, 그런 거군요!

아코가 손을 탁 쳤다.

◆아코 : 놀랍게도 검은 마술사 선수는 레벨을 올리고 마법으로 공격하는 작전으로 나왔습니다! 높은 레벨을 방패삼아 밀어붙여서 애플리코트 선수를 몰아세우고 있네요! 초반의 화려한 두뇌전은 어디로 가버린 걸까요?

그렇더라도 승리를 바란다면야 어쩔 수 없다.

처음의 견제는 능력차가 있는 상태에서도 호각이었다. 마스터가 웃돌고 있었던 거다.

하지만 이렇게 되면 이길 수 없다.

레벨차는 언제든 높은 벽이 되어 가로막는다. 슬픈 MMO의 현실이다.

◆아코 : 마법의 응수로 HP가 줄어들고 있습니다. 이제 남은 건 20퍼센트. 서로 마법을 멈추지 않습니다!

◆루시안 : 질 거라는 걸 알고 있어도 도망치면 죽어. 멈춰도 죽으니까…… 젠장.

◆†검은 마술사† : 미안하지만 레벨차에는 이길 수 없어. 포기해줘.

◆애플리코트 : 레벨차 따위로 포기할 거라 생각하나!

◆아코 : 뭔가 채팅을 치고 있습니다! 대단하네요, 이렇게나 마법을 연타하면서 채팅을 치고 있어요!

채팅 속도는 폐인의 기초소양이니까. 응.

오고가는 마법의 빛 속을 가르듯이 채팅이 흘러나왔다.

◆애플리코트 : 힘과 능력만을 이유로 상대를 꺾고 사랑 없는 결혼을 하다니, 나는 인정 못한다!

◆†검은 마술사† : ………….

허를 찔린 건지, 검은 마술사 씨의 공격이 약간 둔해졌다.

◆†검은 마술사† : 그렇게 생각하더라도, 이기는 건 나야.

◆애플리코트 : 지지 않아, 나는 지지 않는다! 고양이공주 씨는 누구에게도 넘겨주지 않겠다!

힘찬 말과는 반대로 마스터의 HP는 바닥을 드러내고 있었다.

아아, 정말…… 마스터, 힘내라고!

◆루시안 : 지지 마, 마스터!

◆아코 : 마스터!

이제 중계랑 해설은 어디로 간 거냐는 태클은 관객석에서도 날아오지 않았다.

◆†클라우드† : 포기하지 마라, 애플리코트!

◆유윤 : 지면 안 돼!

◆리미트 : 아직 할 수 있어!

◆슈바인 : 날려버려!

◆세테 : 힘내요 선배!

관객석에서 날아오는 환성 속에서—.

◆고양이공주 : 지면 안 된다냐!

그런 글자가 섞였다.

그리고, 마스터의 HP가 제로로—.

◆†검은 마술사† : 뭣.

되지 않았다.

오히려 급속도로 HP 게이지가 늘어났다.

◆아코 : 고, 고양이공주 씨의 힐이 날아왔습니다! 죽어가

던 애플리코트 선수의 HP가 점점 회복되고 있습니다!

◆루시안 : 역시 자애+13…… 엄청난 회복량이네.

힐러의 회복마법을 받는다는 증거, 녹색 오라를 두르며 마스터가 다시 공격에 나섰다.

◆†검은 마술사† : 애플리코트 군, 그건—.

◆애플리코트 : 끝이다, 검은 마술사!

마스터의 불꽃이 검은 마술사 씨를 뒤덮었다.

녹색 게이지가 제로가 되고, 쨍그랑 깨졌다.

동시에 검은 로브가 그 자리에 쓰러졌다.

◆아코 : 겨, 결판이 났습니다! 애플리코트 선수의 승리!

◆루시안 : 에에에에에엑?!

잠깐, 이거 괜찮아?!

확실히 쓰러졌지만, 전혀 진검승부의 결과가 아닌데?!

◆루시안 : 저기, 고양이공주 씨가 마지막에 힐을 해줬는데?

◆아코 : 아, 네. 그랬죠.

그랬죠, 가 아니라! 이거 일대일 대결 아니었어?!

◆루시안 : 저거 봐, 관객석도 엄청 소란스럽잖아. 반칙 아니냐고!

◆아코 : 아뇨, 반칙은 아니에요. 여기 규칙을 보세요. 관객석에서의 조력은 금지라고 되어 있지만…… 투기장에 있는 상품이 손을 대선 안 된다고는 적혀있지 않아요!

◆루시안 : 확실히 적혀있지 않지만!

설마 그럴 거라고는 생각 못하잖아!

그보다 그렇게 되면 처음부터 승패가 결정된 거나 다름없다고!

◆아코 : 이렇게 해서, 승자는 팀 앨리 캣츠, 애플리코트 선수입니다! 승부를 결정지은 건— 고양이공주 씨를 향한 사랑!

우오오오오오오, 하고 관객들이 모두 기립했다.

우와아, 엄청 끓어오르고 있는데!

◆아코 : 루시안이 해설한 그대로네요.

◆루시안 : 이 결과를 예상해서 말한 건 아니지만.

이 규칙을 생각한 사람에게는 예상대로였을지도 모르겠네. 분명.

……세테 씨는 아니겠지?

◆†검은 마술사† : 으~음. 이 패배는 예상 밖이네.

◆애플리코트 : 미안하지만, 원래부터 그런 승부다.

◆†검은 마술사† : 하아…… 뭐, 어쩔 수 없나. 고양이공주 씨를 원해서 출전한 건 아니니까.

◆애플리코트 : 음? 그럼 왜 나온 거지?

질문을 받은 그는 훗 하고 웃고는—.

◆†검은 마술사† : 아니…… 그건 나중에 설명할게.

그대로 망토를 휘날리며 투기장을 떠났다.

◆애플리코트 : ……길고 고된 싸움이었군.

주먹을 드높이 들어 올린 마스터에게 따스한 박수가 쏟아졌다.

괜찮은 건가. 다들 이런 우승으로 괜찮은 거야?

◆아코 : 결혼식 일정은 나중에 연락을 드리겠습니다. 부디 여러분도 참석해주세요. 오늘 이 고양이공주 씨 결혼 상대 쟁탈대회에 협력해주셔서 정말로 감사합니다!

대회는, 끝났다.

††† ††† †††

◆고양이공주 : 무심코 저지르긴 했지만, 이런 승리로 괜찮았던 건가냐?

◆슈바인 : 원래는 안 된다고 생각하는데.

◆애플리코트 : 원래는 내 패배라고 생각하지만, 불평하지는 않더군.

승리를 거두긴 했지만 납득하고 있는 건 아니겠지.

마스터는 고개를 갸웃했지만 뭐, 괜찮지 않을까.

◆루시안 : 입장의 차이가 있으니까. 거대 길드의 마스터와 소규모 길드의 마스터야. 작은 쪽이 한 방 먹이는 편이 다들 통쾌할 거 아냐.

◆애플리코트 : 편파적인 판정이라는 건가.

그렇지. 약한 사람이 이기면 역시 기쁘잖아.

◆세테 : 축하해! 그래서 승전회도 같이 가고 싶지만, 나 이

제 졸려.

◆슈바인 : 어라, 벌써 자?

◆세테 : 벌써 충분히 늦은 시간이야!

◆루시안 : 그런가? 우리는 지금부터가 진짜인데.

은근히 태생이 좋다니까, 저 사람도.

야간에 로그인하지 않는 건 자고 있기 때문인가.

◆세테 : 그렇게 됐으니까 오늘 중계는 세테가 보내드렸습니다. 다들 잘 자~.

◆루시안 : 마지막의 그 말은 뭐야?!

할 일을 다 했다는 표정으로 로그아웃해버렸어! 확실히 오늘의 세테 씨는 대활약이었지만!

◆슈바인 : 그럼 이걸로 무사히 고양이공주 씨와 마스터가 결혼하게 됐네…… 아니, 말해보니까 엄청 위화감이 드는데.

◆아코 : 놀랄만한 커플이니까요.

◆애플리코트 : 커플……은 아니라고 생각한다만…….

◆고양이공주 : 민폐 끼쳐서 미안하다냐.

고양이공주 씨가 꾸벅꾸벅 고개를 숙였다.

◆애플리코트 : 문제없습니다. 대회 자체는 즐거웠으니.

◆아코 : 그랬죠. 레이스도 이겼고!

◆슈바인 : 나의 멋있는 모습은 보여줬으니까.

◆루시안 : 나도 해설 열심히 했고.

모두 만족스럽다면 괜찮네. 확실히 우승도 했고, 하루 노력한 보람이 있었다.

◆애플리코트 : ……정말로, 좋은 추억이 되었다.

◆루시안 : ………….

◆아코 : ………….

아아, 맞다…… 그것도 있었지.

◆고양이공주 : 냐?

고양이공주 씨가 의이한 듯이 말했지만 우리는 침묵했다.

◆고양이공주 : 맞다맞다. 결혼식은 어쩔 건가냐? 내일 하는 건가냐?

◆애플리코트 : 죄송합니다. 내일은 맞선 예정이 있어서, 거의 시간을 낼 수 없을 것 같군요.

◆고양이공주 : 아아, 그런가냐. 그럼 내일은 말고—.

아, 맞선에 대해 말해버렸다.

태연하게 나온 충격발언에 고양이공주 씨가 우뚝 굳어버렸다.

◆고양이공주 : 마, 맞선이라니냐아아아악?!

고양이공주 씨가 울부짖었다. 역시나 울부짖었다!

◆고양이공주 : 맞선?! 맞선을 보는 건가냐?!

◆애플리코트 : 네. 그럴 예정입니다.

고양이공주 씨는 먼저 돌아가서 못 들었었지.

어쩌지, 라며 아코와 슈를 보자 두 사람 모두 곤란한 표정으로 고개를 내저을 뿐이었다.

◆고양이공주 : 정말인가냐? 올해 결혼한다는 게 농담이 아니었던 건가냐?

◆애플리코트 : 부모님은 그런 농담도 곧잘 하셔서 잘 모르겠습니다만…… 뭐, 그럴 생각으로 나갈 겁니다.

◆고양이공주 : 냐아아아.

고양이공주 씨가 아연실색하며 하늘을 올려다봤다.

제자가 맞선을 본다고 하니 역시 비명소리 정도는 나오겠지.

◆고양이공주 : 다, 다들 알고 있었던 건가냐?

◆루시안 : 뭐어.

◆슈바인 : 들었으니까.

◆아코 : ……네.

◆고양이공주 : 왜 막지 않은 건가냐아아아아.

그렇게 탈탈 흔들어봤자 어쩔 수 없었다고요!

◆루시안 : 그게, 저희도 들은 건 오늘인데요?

◆고양이공주 : 급해! 예정 급하다냐!

◆애플리코트 : 곤란한 이야기군요.

마스터가 핫핫핫, 하고 가볍게 웃었다.

우리는 웃을 수가 없다고. 마스터.

◆애플리코트 : 만약 약혼을 하게 되면 아무래도 게임만 하고 있을 순 없기 때문에, 이번에는 추억 만들기도 겸해서 진심으로 최선을 다해봤던 겁니다.

◆고양이공주 : 그, 그럴 수가…… 이렇게나 좋아하는데, 그

만두는 건가냐?!

◆애플리코트 : 최악의 경우에는, 그래야겠죠.

우리도 정말 예상 밖이었다.

고양이공주 씨가 결혼하는 것도 곤란했는데, 마스터 쪽이 먼저 결혼을 하다니.

◆고양이공주 : 아무리 그래도 아직 이르다냐! 미성년 고등학생이 결혼이라니, 고문으로서는 납득가지 않는다냐!

◆애플리코트 : 그렇게 말씀하셔도, 이미 정해졌습니다. 내일 열두 시부터 마에가사키의 카쿠리요라는 가게에서 합니다. 방해받지 않도록 대절해서요.

◆고양이공주 : 우우우우, 진지한 것 같다냐.

◆슈바인 : 우와아, 진지해보여…….

이 근처에서 가장 고급스러운, 제대로 된 가게! 라는 느낌을 주는 곳이다. 나도 본 적 있어.

◆애플리코트 : 그럼 준비를 해야 하므로 오늘은 빨리 끄마. 식에 대해서는 나중에.

◆루시안 : 마, 마스터.

◆애플리코트 : 왜 그러나?

반사적으로 불러 세우자 마스터가 의아한 듯이 되물었다.

왜 그러고 자시고. 그런 맞선 같은 걸 하고 게임을 그만둬야 한다니, 그건…….

◆루시안 : ……아니, 아무것도 아니야.

◆애플리코트 : 그러냐?

마스터는 그럼 또 보자, 라면서 정말로 가볍게 로그아웃했다.

…………….

잠시 뒤, 우리 사이에 침묵의 시간이 흘렀다.

◆고양이공주 : 어째서 다들 막지 않는 건가냐.

입을 연 건 고양이공주 씨였다.

◆슈바인 : 어째서냐니…….

◆고양이공주 : 모두 함께 만류하면 애플리코트도 들어줄지도 모른다냐!

◆루시안 : 아니, 그래도…….

평소보다 딱딱하게 느껴지는 키보드를 치면서 나는 우물쭈물 변명하듯이 말했다.

◆루시안 : 그치만 그런 현실 사생활을 물어도 될까, 싶어서요.

◆아코 : 저희한테 막을 권리 같은 건 없잖아요…….

◆슈바인 : 만약 우리가 만류해서 맞선이 중지되면…… 마스터의 인생이 변하는걸. 그런 책임은 질 수도 없고.

저마다 입을 열었다.

◆고양이공주 : 다들 그런 식으로 생각하던 건가냐?

◆루시안 : 그치만, 역시 온라인 게임 동료니까요.

◆슈바인 : 온라인 게임에 대해서는 얼마든지 이야기할 수

있어도, 현실에 대해서는…….

◆아코 : 서로 알리고 싶지 않은 것도 있으니까요.

한심한 소리를 한다고는 생각하지만.

그게 사실이라는 생각도 역시 든단 말이지.

물어도 되는지 판단할 수 없다. 마스터가 싫어할지도 모른다. 의견을 바꿔버렸을 때 책임을 질 수 없다.

그러니 어쩔 수 없다. 그렇게 생각하는 것도 사실이었다.

◆고양이공주 : ………….

잠시 시간이 지나고, 선생님이 말했다.

◆고양이공주 : 다들 엄청 사이가 좋은데도 왠지 한 발짝 멀어져 있는 게 아닌가…… 벽이 있는 게 아닌가, 그런 생각을 했었다냐.

그렇지 않다고 말할 자신은, 없었다.

벽이 있지는 않다고 생각한다.

그곳에 있는 건 벽이 아니라, 명확한 선 같은 것이다.

언제라도 넘을 수 있다.

하지만 넘었다가 혼나는 것이 싫어서, 미움 받는 게 싫어서, 우리는 그 너머에서 관계를 갖고 있다. 아마도, 그런 느낌이었다.

그런 것도 괜찮다고 생각했다.

◆고양이공주 : 너희답지 않다냐.

◆루시안 : ……네?

◆슈바인 : 우리답지 않다니, 뭐가.

솔직히 우리답다고 생각한다.

현실의 우리는 언제나 이런 식으로 벌벌 떨고, 남에게 다가가는 게 무서워 거리를 두는 녀석들이다.

하지만, 고양이공주 씨는—.

◆고양이공주 : 그치만 그렇게 현실이라든가 게임이라든가 꼬치꼬치…… 게임과 현실이 뭐가 다르냐는 걸 좌우명 삼고 있는 너희들답지 않다냐!

◆루시안 : 아니, 저는 게임과 현실은 다르다고 생각하거든요!

그건 아코잖아요! 우리가 아니라 아코 한정!

◆고양이공주 : 다들 잘 들으라냐. 그런 건 잘못된 생각이다냐!

곤혹스러워하는 우리에게 고양이공주 씨는 단호하게 말했다.

◆고양이공주 : 불안해서 다가가지 못한다, 권리가 없어서 막을 수 없다, 책임을 질 수 없으니 말을 꺼낼 수 없다, 전부 뻔하디 뻔한 이상론이다냐!

◆슈바인 : 그치만 사실이잖아.

◆고양이공주 : 타인의 인생에 대한 책임은 누구도 질 수 없는 게 당연하다냐! 그건 지당한 소리다냐! 말할 것도 없다냐! 하지만, 그렇기 때문에 모든 책임에서 벗어나는 것 역시 불가능하다냐!

◆아코 : 책임에서, 벗어날 수 없다고요……?

◆고양이공주 : 그렇다냐!

고양이공주 씨는 우리를 둘러보며 말했다.

◆고양이공주 : 소중한 친구끼리 아무런 영향도 주지 않는다는 건 절대로 불가능하다냐. 그러니까 사람과 사람은 언제나 서로에게 준 영향에 대한 책임이 있고, 도망칠 수는 없는 거다냐! 그렇지만 결국 자신에 대한 책임은 스스로 질 수밖에 없다냐. 그건 결코 모순이 아니다냐!

◆슈바인 : 서로의 책임…… 어려운 소리를 하네.

◆고양이공주 : 선생님이기 때문이다냐.

흐흐응, 하고 가슴을 펴며 선생님은 말을 이었다.

◆고양이공주 : 고양이공주 씨는 선생님이다냐. 책임 질 수 없으니까 아무 말도 안 한다, 아무것도 하지 않는다는 소리는 결단코 하지 않는다냐. 선생님은 언제라도 학생들을 위해 할 수 있는 건 뭐든지 한다냐.

◆고양이공주 : 너희들도 그랬으면 좋겠다냐. 바라지도 않는데 게임을 은퇴한다면, 적어도 그때 동료들이 아쉬워하지 않는다면 역시 쓸쓸하니까—.

그리고 두둥 하고 큰 글자가 떠올랐다.

◆고양이공주 : 도망치지 말라냐!

귀를 쫑긋 세운 고양이공주 씨가 커다란 채팅을 날렸다.

◆고양이공주 : 동료와 마주하고 싶다면— 도망치지 말라

냐! 이건 고문 명령이다냐!

고양이공주 씨의 꼬리가 홱홱 흔들렸다.

동료와 마주하고 싶다면, 도망치지 말라고.

책임 같은 건 질 수 없고, 모든 책임은 본인이 부담하겠지만, 그럼에도 역시— 우리에게도 책임은 있다.

그리고 책임이 있다면, 약간의 권리 정도는, 있을지도 모른다.

◆루시안 : ……우리, 책임이 있을지도 모르겠네. 아코.

◆아코 : 네?

◆루시안 : 그치만 마스터가 그랬잖아. 우리를 보고 있으니까 결혼하고 싶어졌다고. 그럼 내가 마스터를 막아줘야겠지. 아무튼, 결혼은 무지무지 큰일이니까.

◆아코 : 행복도 엄청 많잖아요!

◆루시안 : 그건 아코와 같이 있으니까 그래.

아코랑 함께 있기 때문에 즐거운 일이 많이 생겼다.

다른 사람으로는 안 된다.

◆슈바인 : ……그러네.

슈도 탁, 손을 치며 말했다.

◆슈바인 : 타협으로 결혼해봤자 행복해질 수 없다. 그렇게 말한 건 마스터야. 자기가 한 말의 책임은 져줘야지.

◆아코 : 그렇게 생각하면 왠지 막아주길 바란 것 같네요. 마스터.

◆루시안 : 그러네. 전력으로 막아줘~, 라고 말했던 것 같아.

그럼 막아줘야지. 은퇴 같은 건 그만두라고 말해줘야겠지.

◆아코 : 근데 어떻게 막죠?

◆슈바인 : 전화? 부모님을 설득해?

◆루시안 : 그치만 마스터도 이상한 책임감이 있으니까 안 하겠다고는 하지 않을 거고.

◆고양이공주 : 그럼 방법은 하나다냐.

고양이공주 씨는 눈을 번뜩 빛내면서 꼬리를 우뚝 세웠다.

아, 왠지 좋지 않은 걸 꾸미는 것 같다.

◆고양이공주 : 강행돌파다냐!

◆슈바인 : 강행돌파라니…… 맞선 자리에?!

◆고양이공주 : 냐아! 직접 가서, 직접 막는 거다냐!

역시 터무니없는 생각을 했잖아!

◆슈바인 : 아니, 그거 위험하잖아. 아무리 선생님이라도 그런 권리까지는 없다고!

◆고양이공주 : 확실히 선생님한테는 그런 권리는 없다냐…… 그치만, 고양이공주 씨한테는 있다냐!

◆아코 : 권리라니…… 뭔데요?

◆고양이공주 : 왜냐하면, 고양이공주 씨는, 애플리코트의 신부니까다냐!

◆루시안 : ……어디 사는 아코냐고.

◆슈바인 : ……아디 사는 아코야.

◆아코 : 옆에서 보는 저는 이런 느낌인가보네요.

아코가 왠지 떨떠름한 표정이야!

◆고양이공주 : 그렇게 됐으니 간다냐!

잠깐, 진짜로, 진짜로 간다고?!

††† ††† †††

다음날, 우리는 요릿집 『카쿠리요』 문 앞에 집합했다.

"왠지 두근두근해. 어지간한 레이드 보스 앞보다 더한 긴장감이야."

"그야 그렇지."

아무리 낙관적으로 보더라도 위험한 행위다.

동료를 위해서라지만, 한도를 넘어서는 안 되니까.

"역시 그만두는 편이 나을 것 같은 기분이 들어요. 원만하게, 가게에서 나오는 마스터에게 울면서 달라붙는 걸로 하지 않을래요?"

"맞선 자리에서 약혼이 결정되면 어쩔 건가냐! 이야기를 매듭짓기 전에 직접 부딪쳐야 한다냐!"

"그렇군요!"

그러면 곤란하다. 확실히 돌격할 수밖에 없겠네.

"……저기, 다들 잠깐만 기다려봐."

"왜 그러십니까. 아키야마."

혼자 무척 곤혹스러운 표정을 지은 세테 씨가 조심조심 우리를 둘러봤다.

“아직 사정을 다 모르겠는데…… 지금부터 뭘 할 생각이야?”

아, 아직 설명하지 않았었나?

그럼 알기 쉽게 이야기를 하자면…….

“으음…… 저기 요릿집이 보이지?”

“응. 있네.”

내가 요릿집을 가리키며 말했다.

“저기서 마스터가 맞선을 보거든?”

“……응? 에, 에엑? 맞선?!”

다음으로 세가와가 진지하게 말했다.

“그걸 이렇게, 요렇게 하려고요.”

“…………우와아.”

그리고 마지막에 아코가 힘차게 파이팅 포즈를 취하면서 에잇 하고 뭔가를 박살냈다

“즉, 저 가게에서 쿄우 선배가 맞선을 보고, 그걸 모두 함께 박살내자는 거야?”

“바로 그렇다냐.”

“…………아니아니아니! 냐, 가 아니잖아요, 유이 선생님!”

아키야마가 우와아아아아아아! 하고, 마치 어딘가에서 본 것 같은 쇼크 받은 얼굴로 외쳤다.

"안 돼요, 유이 선생님. 그건 농담으로 넘어갈 수 없다고요! 분명 혼날 거예요!"

"설령 혼나더라도, 사람에게는 하지 않으면 안 되는 때가 있다냐!"

"그건 지금이 아니거든요! 다시 생각해요!"

혼자 울 것 같은 표정의 세테 씨가 고양이공주 씨의 팔을 힘껏 잡아당기면서 말했다.

몸을 단련한 선생님은 꿈쩍도 하지 않았지만.

"여기까지 온 이상 끝까지 해봐야지. 나나코도 제대로 기모노를 입고 왔고."

"아카네를 따라 입었을 뿐이야!"

그렇다. 네 사람 모두 어째서인지 기모노 장비였다.

사실 아키야마를 말려들게 할 생각은 없었지만, 세가와가 기모노를 빌리러 갔다가 그대로 들키고 말았다.

나도 갖고 있는 옷 중에서 가장 정장 같은, 코스프레용 집사복을 입고 있다.

"왜 이런 차림을?"

"고쇼인을 만나기 전에 소동이 벌어지면 곤란하다냐. 맞선 자리에 정장을 입고 온 여자아이를 함부로 대하지는 않을 거다냐."

"확실히 소동이 일어나기는 힘들 거라 생각하지만, 시간 문제인 게 아닐까요?"

"괜찮다냐."

선생님은 믿음직한 얼굴로 웃었다.

"여차할 때는 선생님이 책임질 테니까, 너희들은 걱정하지 말고 확실하게 친구와 마주하렴."

그러면 안 되잖아요! 제일 농담으로 넘어갈 수 없는 건 고양이공주 씨라고요!

"그렇게 말씀하셔도, 전부 선생님한테 떠넘길 수는 없잖아요."

"맞아. 고양이공주 선생님이야말로 폭주하는 학생을 막기 위해 왔다고 말하면 돼."

"저는 어차피 루시안이 먹여살려줄 거라서 어느 정도의 문제 행동은 괜찮아요!"

"아코한테만큼은 책임을 지우면 안 되겠네."

"그렇지. 그걸 이유 삼아 틀어박힐 테니까."

"어째서인가요!"

어째서고 자시고. 희희낙락하며 땡땡이를 칠 이유를 만들려고 하지 말라고.

"뭐, 괜찮아. 여차할 때는 내 책임으로 만들 완벽한 변명이 있거든."

"뭐야 그게."

쓰지 않는 걸 바라고 있기 때문에 말하진 않았다.

"그럼 전투 개시야. 다들 준비는 됐니?"

고양이공주 씨가 마치 대회에 임하듯이 말했다.

하긴, 이건 고양이공주 씨 결혼 상대 쟁탈대회 연장전이다.

고양이공주 씨의 결혼 상대를 탈환하는— 어제하고는 의미가 정반대가 되긴 했지만.

긴장한 발을 움직여서 요릿집 문을 지나 짧은 자갈길을 빠져나왔다.

고풍스러운 외관의 건물에 『카쿠리요』라는 달필로 적힌 간판이 걸려 있었다.

너무나도 멋들어져서 반대로 압박감이 들었다.

"……던전 『카쿠리요』라는 느낌이네."

"고난도네. 다들 집중해."

"그만두자, 쿄우 선배를 막을 방법이 달리 있을 거야!"

"여기까지 왔으니까 이제 우는 소리 하지 마."

자, 작전 개시다!

"가자냐!"

선두에 선 고양이공주 씨가 던전 문을 열었다.

"—안녕하세요. 어서 오십시오."

입구를 연 우리들을 점원……이라는 느낌은 아니군. 종업원이 맞이했다.

몰래 들어올 수 있었으면 좋았겠지만 큭, 역시 던전. 느닷없이 힘든 관문이 기다리고 있을 줄이야. 어쩌지.

전통옷을 입은 여성은 미안한 표정으로 말했다.

"죄송합니다. 오늘은 대절 상태라서……."

"고쇼인의 일행입니다. 늦게 와서 죄송합니다."

"어…… 아…… 일행이신가요?"

"네. 그렇습니다만."

선생님이 태연자약하게 거짓말을 했다!

종업원은 힐끔 우리를 보더니 의심스러운 듯이 눈살을 찌푸렸다.

"일행 분이 오실 거라고는 듣지 못했으니, 안에서 확인을……."

"윽!"

큰일이다, 트랩 해제 실패다.

확인을 했다간 거짓말이라는 걸 한 방에 들켜!

"위험한데, 어쩔까?"

"어어어어, 어쩌죠?"

"지지지지지진정해, 아직아와와와와."

"……응? 손님?"

당황하는 우리가 수상한 건지 뚫어져라 시선이 쏟아졌다.

—그때.

"어머? 그쪽은……."

갑자기 우리 뒤쪽으로 시선을 돌린 종업원이 고개를 갸웃했다.

"—네. 얼마 전에는 신세졌습니다. 거듭 죄송합니다만, 오늘도 안내 잘 부탁드립니다."

"어머……."

정숙하고 우아한 동작으로 고개를 숙인 건 아키야마였다.

당당한 모습이 너무 그럴싸해서 무심코 눈을 빼앗기긴 했지만…….

인사 같은 걸 해봐야 통과시켜주지 않을 것 같은데.

"아뇨아뇨. 무척 실례가 많았습니다. 들어오세요. 이쪽입니다."

"……어라?"

그렇게 생각하고 있었는데 종업원이 납득했다.

어, 어라? 어째서? 이게 무슨 긴급회피?

종업원은 흠 잡을 데 없는 동작으로 우리 신발을 받아서 들어올 것을 재촉했다.

"자, 이쪽입니다."

정중하게 안내하는 전통옷차림 여성 뒤를 따라갔다.

"위험한 국면이었지만 제1관문 돌파다냐."

"심장이 두근두근해요오오."

"고양이공주 선생님, 잘도 그렇게 냉정하게 있을 수 있네. 강철 심장이야?"

"사나이답네."

평소에는 약한데 여차할 때는 정신내성이 엄청 높아 보인다.

"분명히 나중에 혼날거야……."

"……왜 나나코가 그렇게 부들부들 떨고 있어?"

"그치만!"

소곤소곤 이야기를 나누던 중, 앞에서 기모노를 입은 여성이 걸어왔다.

풍채가 좋은, 꽤나 위압감 있는 사람이다.

"……어머? 마에다 씨, 오늘은 대절인데요."

"아뇨, 이쪽은 고쇼인 님의 일행분이시라서요."

"일행분이 찾아올 거라는 건 못 들었는데요."

"그, 그렇긴 하지만……."

이런, 들켰나?!

"저, 저 사람 강해 보여요!"

"분명 여주인이야. 중간보스 정도의 힘은 되지 않을까?"

"어, 어쩔 건가냐, 강행 돌파할까냐?"

그건 최후의 선택지로 하고 싶은데.

하지만 여기서 붙잡힐 바에는 돌파해서라도 마스터를 찾을 수밖에 없다.

"이렇게 되면 각오를 다지고 플랜 B로 가야하나."

"플랜 B가 뭔가요?"

"응? 그런 건 없어."

"그럼 안 되잖아요!"

"바보 같은 소리 할 때가 아니야!"

"이렇게 된 이상 갈 수밖에 없다냐!"

"잠깐, 잠깐만!"

전진태세를 취한 우리를 뒤에서 막은 건 아키야마였다.

"왜 그래? 나나코."

"아니, 저기…… 시, 싫긴 하지만, 이것도 쿄우 선배를 위해서라고 생각하면…… 우우우, 어쩔 수 없지."

슬쩍 우리 사이를 빠져나간 아키야마가 앞으로 나왔다.

"손님, 괜찮으시다면 성함을—."

"—수고 많으십니다. 신도 씨."

"……어머? 당신은 아키야마 님의……."

"네. 나나코입니다. 오늘은 고쇼인 씨의 초대를 받아서요."

"어머나, 그러셨군요. 이거 참 실례를. 얼마 전에는 아버님과 함께……."

아키야마는 평소의 활발하고 기운찬 표정과는 상반된 부드러운 미소를 지으며 여주인과 마주 서서 대화를 나누고 있었다.

뭐야 이 사람, 이런 사람이었어? 왜 중간보스랑 맞짱을 뜨고 있는데? 우리 파티의 용사라도 되는 건가?

"……음, ……음!"

어라, 아키야마가 이쪽으로 시선을 돌렸다.

여주인을 상대하면서 입을 뻐끔거리며 시선, 동작으로 뭔가를 전하려는 것 같았다.

시선만으로 말하는 걸 알 수 있는 건 아코나 세가와, 마스터 정도긴 하지만 지금이라면 아키야마가 뭘 말하고 싶은지 알 수 있었다.

『여기는 내게 맡기고 먼저 가!』

엄청난 사망 플래그였다!

하지만, 하지만, 고마워!

"미안해, 미안해!"

"나나코…… 고마워!"

"당신의 희생을 헛수고로 만들지 않겠어요!"

"나는 못된 선생님이다냐…… 미안하다냐……."

선생님은 조용히 손을 맞댄 뒤에 허둥지둥하던 처음 종업원에게 말했다.

"저기, 먼저 안내를 부탁드려도 될까요?"

"아, 실례했습니다. 이쪽입니다."

여주인 옆을 빠져나온 우리는 안으로 나아갔다.

숭고한 희생을 거쳐 제2관문도 돌파했다.

당신을 잊지 않겠습니다. 아키야마!

"이쪽에서 기다리고 계십니다."

영원의 방, 이라고 적힌 맹장지 문 앞으로 안내를 해준 종업원은 조용히 떠났다.

여기인가…… 여기에 마스터와 그 맞선 상대가 있는 건가.

"무사히 와버렸네."
"잠입 성공해버렸네요."
"하지만 스니킹 미션은 여기까지야."
그렇다. 여기가 최종관문.
최종보스가 기다리는 마지막 문이다.
이걸 연다면, 무슨 짓을 하건 경보음이 울리며 전투 개시다.
"아코, 보스전 하기 전이니 버프 걸어줘."
"힘내라♥ 힘내라♥"
그건 버프가 아니야!
"이미 정신적으로 지쳤으니까 회복도 하고 싶은데."
"힐러는 둘이나 있지만 회복은 포기해줬으면 좋겠다냐."
농담을 하며 웃은 선생님은 우리를 돌아봤다.
"이 안에 우리 모두의 동료가 있어. 혼자 속에 담아두기만 해서 도와달라고 하지 못한 여자아이가. ……이번에야말로, 제대로 마음을 전해야 한다?"
"알고 있어요. 마스터는 넘겨주지 않아!"
"마스터한테 불행한 결혼 따위는 시키지 않겠어요!"
"아무리 싫어하더라도 끌어내려 줄 거야!"
"응. 그거면 됐어!"
기합을 넣은 우리를 보며 강하게 고개를 끄덕인 선생님은 맹장지에 손을 댔다.
그래. 이걸로 게임 오버가 된다고 해도, 할 건 해주겠어.

"자, 간다냐!"

기합 한 번 넣고—.

화악! 하고 크게 맹장지를 연 선생님이 울부짖었다.

"이 맞선, 잠깐 기다려라냐아아아아아!"

포효를 내지른 그곳에는, 전에도 본 기모노 차림으로 입을 쩌억 벌리고 우리를 올려다보는 마스터.

그리고 그 반대편에는 한 남성이 있었다.

남녀가 둘이서 마주 앉아있다. 그야말로 맞선을 보고 있다는 느낌이다.

그렇구나. 이 사람이 마스터의 맞선 상대…… 상대?

"호오, 기운찬 아이구나."

"……냐?"

그곳에 있는 건 남성이었다.

틀림없는 남자다.

하지만 아무리 봐도 지금부터 결혼을 할 연령이 아닌 것 같은, 할아버지였다.

"……사이토, 교사? 루시안, 아코에 슈바인까지. 무, 무슨 일이냐?"

오히려 이 상황이 대체 무슨 일인데.

맞선 아니었어? 마스터, 이 할아버지랑 맞선을 보고 있었어?

아무리 그래도 그건 아니지? 연령차가 다섯 배 이상은 될 것 같은데?

"무슨 일이냐니, 저기…… 돌아와 달라는, 뭐 그런……."

"맞선을 보고 은퇴한다니, 좀 아니잖아, 같은 말을, 하려고……."

"적어도 사정을 들려주세요, 같은 말을……."

예상 밖의 상황에 준비한 말이 나오지 않았다.

우물쭈물 변명하는 우리를 보던 마스터가 아직 놀란 상태로 말했다.

"……아니, 맞선은, 아니다만."

"그렇지이이이이?"

전원 그 자리에서 무너졌다.

"쿄우야, 친구인 게냐?"

"네. 친하게 지내는 학우와, 소속된 부의 고문입니다. 죄송합니다. 소란을 피워서."

"아니아니, 괜찮다. 젊고 화사하고 활기차구나."

할아버지는 허허 웃었다.

"저, 저기, 그쪽 분은?"

"아버지의 아버지의 형…… 내 쪽에서 보면 큰할아버지에 해당하는 분이다."

"고쇼인 토키무네다. 잘 부탁하마."

"아, 네. 니시무라 히데키입니다."

"세가와 아카네입니다."

"니시무라 아코입니다."

네 성은 타마키잖아!

태클을 걸지 못하는 타이밍에 교묘하게 바보짓 하는 건 그만둬, 젠장!

"……저, 저기……."

그때 고양이공주 씨가 떨리는 목소리로 말했다.

"이사장님……?"

"응? ……오오! 그러고 보니 아가씨, 면접에서 본 것 같구먼. 우리 학교의 교사인가!"

"그러니까 그렇게 말씀드리지 않았습니까."

"이사장이라니?"

"큰할아버님은 마에가사키 고등학교의 이사장을 맡고 계시다."

"그냥 장식품이지. 일을 하는 건 조카인 것을."

"큰할아버님의 조카가 우리 아버지다. 아버지께서 이사를 맡고 계시고, 실무는 그쪽이…… 미안하군. 복잡한 가계라."

"아니, 전혀……."

내 모교는 대부분 마스터네 집안에서 관리하고 있다는 걸 잘 알았다.

잠깐만. 그렇다는 건, 고양이공주 씨는 상사의 상사의 상사 정도 되는 사람한테 『이 맞선, 잠깐 기다려라냐아아아아아!』라고 말한 건가?

"저, 저기, 저는 말이죠. 결코, 이사장님을 방해하려고 한 건……."

아아아, 역시 겁먹고 있어! 엄청 무서워하는 중이야! 얌전한 고양이공주 씨가 됐어!

"허허. 방해하러 온 것이 아닌고? 귀여운 조카네 딸의 맞선을."

"아아아아죄송합니다아아아아아!"

"아, 아니에요. 제가 억지로!"

"아뇨 제가!"

"저에요! 제 탓으로 해주세요!"

탓으로 해주세요라니 그게 뭐야?!

"저, 저기~."

그때 뒤에서 조심조심 말이 걸려왔다.

"저, 저기, 무슨 일이신지?"

"다들 괜찮아……?"

소란을 눈치챈 건지 조금 전의 여주인과 아키야마가 와서 불안한 표정으로 우리랑 할아버지를 바라보고 있었다.

"무슨 일이긴 무슨 일이겠느냐."

할아버지는 어이없다는 표정으로 절레절레 고개를 내저었다.

큰일 났다. 쫓겨나겠어, 아니 신고당하겠어! 그건 봐주세요!

"잠깐만요, 저희는―."

"손님이 늘어난 게지. 차를 준비해주게나."

"아…… 네. 바로 갖다드리겠습니다."

"……어라?"

"왜 그러냐, 꼬마야. 그런 표정으로."

바로 경찰을 부를 것 같았는데 그렇지 않았고, 할아버지는 우두커니 선 나를 보며 씨익 웃었다.

"큰할아버님. 사이토 교사와 제 후배들을 놀리는 건 그쯤 해두시죠."

"허허, 젊은 아이들에게 민폐를 끼치는 것이 늙은이가 할 일 아니냐?"

"반대입니다."

"저기, 저희들은……."

"모처럼 왔으니 앉으려무나. 여러모로 듣고 싶구나."

할아버지는 허허 하고 가볍게 웃었다.

"쿄우 이 녀석은 학교생활에 대해서는 그다지 이야기해주질 않거든."

††† ††† †††

"연중행사, 정도까지는 아니지만 정월에 맞춰서 큰할아버님이 이리로 오실 때 식사를 함께 하며 조금 젊은 기분을 맛보여드린다는 이벤트가 있다. 어머니는 항상 맞선 예정이 들어왔다고 하시지만…….”

“그냥 친척하고 만나는 거잖아…….”

“그걸 먼저 말해달라고…….”

“그러니까 농담이라고 생각한다만, 이라고 했을 텐데.”

말하긴 했지만, 말하긴 했지만!

그 오해 탓에 고양이공주 씨가 새하얀 잿더미가 돼버렸잖아!

“다행이다냐, 다행이다냐…….”

“나도 아빠한테 엄청엄청엄청 혼날 뻔했어, 정말 죽는 줄 알았어…….”

고양이공주 씨만이 아니라 아키야마도 상당한 대미지를 입었는데…… 어떻게 된 거지?

“그건 그렇고 마스터. 우리는 정말 맞선 보고 결혼하는 줄 알고 걱정했단 말이야…….”

“미안하다. 그렇게 진심으로 걱정할 줄은 몰랐다.”

“걱정하지! 당연한 거잖아!”

“어머니도 비슷한 나이에 약혼을 했다고 말했었고.”

“아무리 그래도 어머니와는 세대가 다르다만.”

“마스터네 집이라면 그런 것도 있을 법하니까 또 모르잖아!”

그렇다. 모른다. 들은 적 없고, 묻지도 않았으니까.

그 결과 이런 꼴이 되고 말았지만!

“이것 참, 좋구나. 쿄우야. 늙은이와의 맞선을 박살내주자는 기개 있는 친구는 좀처럼 만나지 못하는 법이다."

"네, 네에."

"좀처럼 학교 이야기를 하지 않아서 친구가 없어 곤란한 건가 싶었지 뭐냐."

"……그, 그럴 리가 없잖습니까. 하, 하하하하하."

우와아, 마스터가, 아슬아슬 세이프 같은 표정을 짓고 있어.

"저기…… 물어봐도 될지 모르겠는데."

이미 여기까지 파고 들어왔다.

물어보면 싫어할지도 모르지만, 너무 거침없을지도 모르지만, 그래도— 우리가 왔을 때의 마스터는 기뻐보였으니까.

"고쇼인 가(家)는 뭐하는 집안이야? 학교 경영이 본업?"

"그것만 하는 건 아니다. 애초에 부모님의 일이라 나도 모든 걸 파악하고 있는 건 아니지만……."

말하고 싶지 않은 게 아니라, 모르는 게 많은 건가. 마스터는 으으음 하고 고민하고 있었다.

그 대신이라는 듯이 할아버지가 넘겨받았다.

"옛날에는 이 부근의 지주였지. 그런 연유로 이곳저곳에 손을 댔더니 여러 사업을 하게 된 게야. 대부분은 상담역 같은 셈이지만 말이다."

"아니, 그건…… 옛날부터 이어져온 명가인 게……."

"그렇게 대단한 건 아니다만……."

††† ††† †††

"자, 그럼. 즐거운 시간이었지만 슬슬 가봐야겠구나."

"벌써 돌아가시려는 겁니까? 요리도 나오지 않았습니다만."

"이런 늙은이다만 여러모로 바빠서 말이다."

손에 든 부채로 탁탁 무릎을 친 할아버지는 웃었다.

"계산은 해둘 테니 다들 먹고 가거라."

"해냈다!"

"아코, 너 조금은 사양을……."

"괜찮다, 괜찮아. 늙은이에게 어울려준 감사의 표시니."

할아버지는 천천히 일어나려다 문득 선생님에게 시선을 내렸다.

"그래, 참. 사이토 아가씨."

"넵!"

우와, 긴장하고 있네.

선생님은 등줄기를 쫙 펴고, 마치 지령이라도 기다리는 표정을 짓고 있었다.

"설마 정말로 맞선이라면…… 하고 걱정하고 있던 건 쿄우도 마찬가지였던 것 같더구먼. 내가 방에 들어왔을 때 정말 당장에라도 죽을 것처럼 불안한 표정을 짓고 있었으니."

"그랬, 었군요."

"그래서, 귀여운 조카네 딸이 이런 얼굴을 하고 있는데 주변 어른들이 아~무도 깨닫지 못했던 거냐고 생각했었다만……."

할아버지는 수염이 무성한 얼굴을 약간 일그러트리고는 말했다.

"좋은 선생님이 계셨군. 앞으로도 잘 부탁하네."

"네, 넷!"

"……모가지, 붙어있게 됐네."

"세이프……!"

"잘 됐네요, 유이 선생님."

정신이 들자 가장 위험한 포지션에 있었던 고양이공주 씨가 가까스로 생존을 쟁취했다.

고개를 숙인 마스터에게 가볍게 웃어주며 할아버지는 방을 나서려—.

"그리고 꼬마야."

"저, 저 말인가요?!"

뭐지?! 내가 뭔가 이상한 소리라도 했나?!

"허허."

내가 굳어지자 할아버지가 수상한 미소를 지었다.

"저, 저기……."

"한 가지 묻고 싶은 게 있어서 말이다."

할아버지는 그렇게 말하며 조금 목소리를 낮췄다.

"맞선을 박살낸다는 건 그리 가벼운 결의로는 못 할 일이지. 젊은 여자들이라면 몰라도, 남자는 특히 더. 왜 그렇게까지 하려고 생각한 게냐?"

어째서…… 라고 물으셔도.

가느다란 눈이 나를 노려보듯이 바라보고 있어서 말이 잘 나오지 않았다.

"쿄우는 맞선을 보라는 소리에 싫다고 말하는 아이는 아니지. 만약 내키는 마음이었다면 어쩔 생각이었는고? 그 책임을 질 수 있었겠느냐?"

"아뇨, 책임은 지지 못했겠지만…… 저기."

확신이 있었던 건 하나뿐이었다.

"마스터…… 쿄우 양은, 싫어하고 있었습니다. 막아주길 바란다고 생각하고 있었죠."

"그건 어떻게 알게 된 게냐? 부탁을 받은 건 아닐 텐데?"

"……그건."

—사랑은 없더라도, 적어도 좋은 감정이 있는 상대와 결혼하고 싶지 않겠나.

—결혼을 타협으로 해서는 안 된다. 저는 그렇게 생각했습니다.

말 하나하나마다 싫다는 본심이 흘러나오고 있었다.

그리고, 무엇보다도.

—내일 열두 시부터 마에가사키의 카쿠리요라는 가게에서 합니다. 방해받지 않도록 대절해서요.

꼭 들어줬으면 좋겠다는 마음이 없다면.

꼭 구해줬으면 하고 바란 적이 없다면.

마스터는 게임 속에서 그런 사생활 이야기를 하지 않는다.

"그건…… 비밀입니다."

"호오, 말해도 모른다는 게냐?"

"아뇨. 저희의 비밀로 해두고 싶거든요."

우리 세계의 이야기니까. 게임과 현실은 다르니까.

"게다가, 만약 마스터가 내키는 마음이었다면, 그럴 경우에는……."

"그럴 경우에는?"

재미있는 얼굴로 나를 보는 할아버지에게, 나는 100퍼센트 진지한 표정으로 말했다.

"예쁘고 믿음직한 선배를 짝사랑하던 제가 맞선을 박살내러 왔다는 걸로 해두기로 했죠!"

"뭐뭐뭐뭐뭐, 루시안?!"

"바람인가요?!"

"아니야, 변명이라고!"

그렇게 말하면 마스터도, 다른 사람도 잘못이 없고, 나만 악인이 되니까!

"허허! 내연남의 강탈극인가! 그거 좋군!"

"……좋은 건가요?"

"좋구나. 좋아좋아."

뭐가 마음에 든 건지, 할아버지는 기분 좋게 껄껄 웃었다.

"쿄우에게는 한동안 맞선이 필요 없을 것 같구나. 조카에게는 그렇게 전해둘 테니 안심하거라."

"네. 감사합니다."

"해냈다!"

"잘 됐네요."

"냐아……."

마스터가 꾸벅 고개를 숙였다.

우리는 얼굴을 마주 보며 씨익 웃었다.

"젊은 남자를 확실히 잡고 있는 것 같으니 말이다. 좋구나, 좋아."

할아버지는 그렇게 말하며 바로 방을 나섰다.

"……엑?"

"젊은 남자라니……."

……나?

아니, 나는 아니지 나는.

"적어도 플래그가 서는 대화는 아무것도 안했는데……."

"그, 그게 말이다."

어째서인지 마스터가 미묘하게 얼굴을 붉혔다.

"큰할아버님은 젊은 시절 큰할머님의 맞선 자리에 끼어드셔서 큰할머님을 보쌈하신 게 자랑거리시라 말이지. 틈날 때마다 자랑스럽게 말씀하시곤 한다."

그리고 힐끔 내 얼굴을 보더니 바로 고개를 돌리고는 어울리지도 않는 작은 목소리로 말했다.

"내 뒤를 잇는다면 이 정도의 기개를 갖지 않으면 곤란해, 라시더군."

"—잠깐, 잠깐만 기다려주세요. 할아버지! 저는 아니에요! 그런 게 아니라고요!"

"루시안은 제 남편이에요! 착각하지 말아주세요!"

이상한 플래그 세우고 돌아가지 말아줘요!

"뭐냐, 재미없구먼……."

차에 타기 직전이었던 할아버지를 따라잡아서 오해를 푼 것은 내 생각에도 행운이었다.

떠나가는 차를 배웅한 나와 아코는 후우 하고 한숨을 내쉬었다.

"위험했어……."

"정말로 아슬아슬했어요……."

"딱히 오해하시더라도 상관없었다만."

기분 탓인지 마스터는 조금 아쉬워보였다.

마스터의 집안 사정에 나까지 말려들 뻔했잖아.

"마스터, 진심 같은 얼굴로 말하지 마."

"이럴 때 그런 농담은 필요 없다고."

"맞아요. 농담으로는 넘어갈 수 없게 된다고요."

나와 아코가 나란히 얼굴을 찌푸렸다.

"그런가…… 하긴 그렇겠지."

내 팔에 달라붙은 아코를 바라보며 마스터는 작은 한숨을 내쉬었다.

"하지만 나는 기뻤다. 지금까지의 인생에서 나에게 친구가 있다는 걸 지금처럼 절실하게 느낀 적이 없군. 나는 온라인 게임을 그만두지 않겠다. 부장도 길마도 그만두지 않으마! 나는 평생, 애플리코트로 살아가겠다!"

해맑은 얼굴로 마스터가 말했다.

왠지 모르게 몰려있는 듯한, 그런 불안한 얼굴이 아니다.

저 자신만만하게 웃는 얼굴을 보고 싶었다.

"이런 진정한 우정은 오래도록 전해지지 않으면 안 되겠군! 음, 두 사람의 결혼식에서는 이 고쇼인 쿄우가 너희들의 친구 대표를 맡아주도록 하마!"

……에이.

"미안, 안 해줘도 돼."

"그건 싫어요."

"왜 싫어하는 거냐?! 이렇게까지 해서 나를 만류해준 너희 둘의 사랑은 어디로 간 거냐?!"

"그게, 우정은 있지만."

"사랑은 있지만 말이죠."

"뭐가 안 되는 거냐?!"

마스터는 진심으로 모르겠다는 표정이었다.

“그보다 말이지, 오늘은 이런저런 이야기나 해보자고. 묻고 싶었던 게 엄청 많거든. 예를 들면―.”

나는 달라붙은 아코의 머리를 톡톡 두들겼다.

“중학교 시절의 아코는 어땠을까? 같은 거.”

“그, 그건…….”

아코가 아하하, 하고 웃으며 얼버무리듯이 말했다.

“저도 루시안의 시스콤 에피소드를 듣고 싶어요! 슈슈의 자랑을 못 견디겠다고요!”

그 녀석 무슨 이야기를 한 거야?!

“저기, 마스터는 솔직히 얼마나 부자인 거야? 스스로 주식거래 같은 것도 하지? 미성년자도 가능해?”

“모르는 건가, 가능하다. 저명한 경영자 중에서는 어린 시절부터 주식시장에 익숙한 사람이 많지. 나는 신용거래를 못 하도록 묶여 있어서 여러모로 제한이 많긴 하다만.”

“우와, 마스터는 진짜로 스스로 벌고 있는 거야?”

“밑천은 부모님한테서 빌린 거다. 그다지 자랑할 건 아니야. ……그래. 루시안 너도 벌 수 있는 수단은 있다. 게이머라면 알 수 있는, 대박 확정 게임이 발매하기 직전의 게임회사 주식을 산다거나, 그런 것 말이다.”

“……벌 수 있을 것 같은 기분이 들어.”

“안 돼요. 제 남편을 도박의 세계로 끌어들이지 말아주세요!"

"우리 집은 돈이 없지만……그래도 그런 돈벌이는 내키지 않아……."

"어, 슈네 집은 빈곤한가요?"

"시끄러워! 그보다 너희들 집이 이상한 거야! 전부 괜찮은 스펙의 PC를 갖고 있다니 뭔데?! 우리 집은 평범하다고, 평범!"

"그렇지~, 아카네네 집은 평범하지~!"

"잠깐, 맞다! 나나코! 조금 전엔 뭐야?! 어떻게 된 건데?!"

"어떻게 된 거냐고 물어도…… 이 가게는 자주 오니까, 그래서……."

"너도 배신자였구나. 나나코!"

아직 서로 이해하지 못하는 것, 모르는 건 무척 많지만.

투명한 선은, 사라진 것 같은 기분이 들었다.

에필로그

마이미니

And you thought there is Never a girl online?

◆루시안 : 사실은 맞선이 아니라는 걸 알고 있었나요?

내가 그렇게 묻자 고양이공주 씨는 뭐라 말하기 힘든 미소와 함께 답했다.

◆고양이공주 : 그 아이의 부모님은 좋은 분들이시니…… 학교에 연락도 없이 진지한 맞선을 보지는 않을 거라 생각했다냐. 분명 농담 같은 것일 테니 다들 정장을 입고 가면 혼나지 않을 것 같았다냐.

◆루시안 : 하아…… 그랬군요.

◆고양이공주 : 그래서 이사장님이 나오셔서 엄청 놀랐다냐.

◆루시안 : 예상 밖의 지뢰를 밟았다는 거네요.

그대로 잿더미가 되는 게 아닌가 싶을 정도로 모두 불타 버렸었지.

◆고양이공주 : 하지만 그 이후부터 왠지 높으신 분들이 다정하다냐.

좋은 인상을 준 모양이다. 잘 됐네요.

◆루시안 : 근데 고양이공주 씨, 맞선이 아니라고 해도 문제가 될 가능성은 당연히 있었잖아요?

◆고양이공주 : 그…… 그건 그럴, 지도 모른다냐.

◆루시안 : 그럼에도 맞선을 박살내는 걸 강행한 건, 마스터의 뜨거운 프러포즈에 텐션이 올라가서 냉정하지 않았던 게…….

◆고양이공주 : 자, 루시안. 결혼식 준비는 아직 끝나지 않았다냐! 잘 부탁한다냐.

도망쳤어, 이 사람…….

하지만 준비가 끝나지 않은 건 사실이다.

이날, 고양이공주 씨와 마스터의 결혼식에는 정말로 많은 사람들이 모였다.

◆아코 : 다 들어오지도 못했어요! 교회 바깥까지 꽉 찼다고요!

◆슈바인 : 너희들 뭉쳐! 안으로, 안으로! 스샷 찍는다, 겹치지 않도록 아슬아슬하게!

◆루시안 : 잠깐, 너무 많잖아!

◆세테 : 참가자 총 100명 이상, 참가자 길드 사람들하고 대회를 관전한 사람들까지 왔으니까.

◆아코 : 느긋하게 있지 말고 정리 도와주세요!

커다란 식장을 왁자지껄하며 가득 메운 상태에서 식이 시작됐다.

붉은 양탄자 위를 조용히 걷는 마스터.

휘익휘익 하고 응원하는 채팅이 오고갔다.

◆슈바인 : 왠지 멋있잖아.

◆루시안 : 캐릭터 메이킹은 꽃미남으로 해놨으니까, 마스터.

◆슈바인 : 너보다는 말이지.

루시안은 꽃미남으로 만들지 않았다고.

◆아코 : 루시안도 멋있어요!

캐릭터를 향해 말해봤자…….

그리고 뒤이어 드레스를 입은 고양이공주 씨가 들어왔다.

붉은 양탄자 위를 천천히 걸어오는 고양이공주 씨는 그야말로 진짜 공주님처럼 보였다.

여신이다, 여왕이다 하는 것도 좀 알 것 같네.

◆슈바인 : ……의외로 어울리게 입고 있네.

◆아코 : 고양이공주 씨 예쁘네요…….

◆루시안 : ………….

◆아코 : 루시안?

◆루시안 : 왠지, 내 결혼식에서 아코가 걸어오던 때만큼은 감동하지 않는 것 같아서.

아코가 나를 향해 걸어오는 걸 봤을 때는 이렇게 태연한 마음은 아니었다.

기쁨과, 불안과, 기대와 약간의 후회가 뒤섞여서 내가 무슨 생각을 하는지 잘 알 수 없었다.

◆아코 : 그러네요. 저도 루시안이 기다리는 걸 봤을 때는 마우스를 떨어트릴 뻔했어요.

◆루시안 : 위험하잖아.

◆아코 : 사실 떨어트렸어요.

◆루시안 : 조심 좀 하라고!

농담이에요~, 라며 아코는 키득키득 웃었다.

식은 막힘없이 진행되었고, 드디어 마지막.

맹세의 말과, 맹세의 입맞춤을 할 때가 왔다.

▶ 그대 애플리코트는 건강할 때나 병들었을 때도—

◆애플리코트 : 맹세합니다.

▶ 그대 고양이공주, 건강할 때나 병들었을 때도—

◆고양이공주 : 맹세합니다.

◆유윤 : 젠자아아아앙.

◆루인 : 싫어, 고양이공주 씨이이이이!

축복의 목소리보다 비탄의 목소리가 많은데, 너희들 조금 자중하라고.

▶ 맹세의 입맞춤을 ◀

◆애플리코트 : …………그럼.

◆고양이공주 : 냐.

천천히 몸을 기울이는 마스터.

그리고 눈을 감는 고양이공주 씨.

온다, 온다…….

◆아코 : 와, 왔, 왔…….

◆슈바인 : 왔…….

◆루시안 : 왔다 대기하지마.

그리고, 두 사람의 입술이, 맞닿—.

마, 맞닿…… 맞닿……지, 않았다.

◆슈바인 : 어이, 왜 거기서 멈추는데.

◆루시안 : 두 사람 왜 그래?

◆아코 : 무슨 일 있나요?

◆고양이공주 : 여, 여…….

◆세테 : 여?

◆고양이공주 : 역시 싫다냐!

◆애플리코트 : 이 결혼은 그만두겠다!

에에에에에에엑?!

◆루시안 : 잠깐, 대회까지 해놓고 이러기야?!

◆세테 : 운영 그렇게 열심히 했는데!

◆고양이공주 : 그치만, 그치마아아아안.

◆†클라우드† : 그래, 고양이공주 씨. 그만둬!

◆카보땅 : 결혼 같은 건 안 해도 돼!

고양이공주 씨 결혼식 포기가 호의적으로 받아들여지고 있어!

한편 마스터는—.

◆애플리코트 : 나에게도 소녀심은 있다! 첫 결혼식에서 남자 역할이라니, 역시 싫다!

◆바츠 : 애플리코트 너 여자였냐ㅋ

◆†검은 마술사† : 알아채지 못했던 거야?

◆바츠 : 나는 어느 쪽이라도 상관없으니ㅋ

이쪽도 왠지 그만두다니 용서 못한다! 라는 사람이 없어…….

◆애플리코트 : 역시 이 결혼은 안 되겠다! 상품이 되어서 결혼하다니, 행복해질 리가 없어!

◆고양이공주 : 맞다냐! 결혼에는 사랑이 필요하다냐!

◆슈바인 : 왠지 맞선 탓에 이상한 자신감이 붙었는데?

◆아코 : 으, 으~음…….

◆세테 : 뭐, 뭐어, 괜찮지 않을까?

이게 대체 뭐야.

필사적으로 노력했던 건 대체 뭐였냐고.

◆고양이공주 : 고양이공주 씨는 결혼 같은 거 안 한다냐! 그렇다냐, 고양이공주 씨는, 고양이공주 씨는——— 모두의 고양이공주 씨다냐아아아아아아!

고~양이공주!

고~양이공주!!

고~양이공주!!!

◆루시안 : 대환성이네…….

◆슈바인 : 결국 이렇게 돼버렸군.

◆세테 : 이러니저러니 했지만 결국 아이돌 좋아하는 거네, 선생님…….

◆아코 : 결혼, 행복한데 말이죠…….

아쉽게 됐네, 아코. 기혼자 동료가 늘어나지 않아서.

하지만 뭐랄까, 저렇게 환호하는 친위대 사람들을 보니 역시 이걸로 잘 됐다는 생각이 든다.

◆애플리코트 : 그럼 부케 던지기 대신 반지를 던지마!

◆고양이공주 : 다들 고맙다냐~!

두 사람이 던진, 사용되지 않은 반지가 교회 안에서 날아올랐다.

아마 제대로 인첸트가 되어있을 두 사람의 반지를 향해, 마치 이게 마지막 이벤트라는 듯이 모두가 몰려들었다.

우와, 추악한 싸움이 벌어지고 있어……. 쟁탈전이야…….

◆고양이공주 : 하아, 이거야 원, 이다냐.

◆애플리코트 : 정말 그렇군요.

반지에 몰려드는 플레이어들을 빠져나온 두 사람이 식장에서 나왔다.

이걸로 결혼식은 진짜로 중단됐다.

◆루시안 : 정말 결혼하지 않아도 괜찮아?

◆애플리코트 : 결혼 자체는 하고 싶다만…….

◆고양이공주 : 싫다는 건 아니다냐. 하지만…….

◆애플리코트 : 역시 첫 결혼 정도는 남자와 하고 싶다.

◆고양이공주 : 역시 첫 결혼 정도는 남자랑 하고 싶다냐.

◆루시안 : ……수고하셨습니다.

참고로.

친위대를 탈퇴했던 고양이공주 씨는 예정대로 앨리 캣츠에 합류했다.

이러니저러니 해도 고양이공주 씨가 우리 길드에 들어오는 건 처음이다.

같은 길드라는 건 로그인 상황을 언제나 볼 수 있다는 뜻인지라, 밤늦게까지 로그인하고 있으면 야단맞거나, 숙제는 하고 있느냐는 확인을 해오지 않을까 조금 불안했었는데…….

◆루시안 : 그럼 고양이공주 씨, 저는 끌게요.

◆아코 : 저도 잘게요.

◆고양이공주 : 잘 자라냐. 루시안, 아코.

◆루시안 : ……저기, 고양이공주 씨는 아직 안 자나요?

◆아코 : 벌써 두 시인데요? 일은 괜찮나요?

◆고양이공주 : 앞으로 세 바퀴만 돌고 잘 거다냐. 오늘 할 당량이다냐.

◆루시안 : ……네. 안녕히 주무세요.

◆아코 : 아, 안녕히 주무세요.

공부하라는 말도, 자라는 말도 없이.

가장 늦게까지 태연자약하게 로그인해 있는 사람이 바로 고양이공주 씨였다.

## ■작가 후기

길드 채팅으로 잡담을 하겠습니다.

오랜만입니다. 아마 없을 거라고 생각하지만, 혹시 처음 뵈었을 가능성도 있겠군요.

키네코 시바이입니다.

『온라인 게임의 신부는 여자아이가 아니라고 생각한 거야?』, 이번 이야기로 Lv.7입니다.

Lv.7이라고 하면 스킬이 늘고 장비도 바뀌어서 새로운 마을로 이동할 수 있게 되는 레벨입니다. 이 시리즈도 Lv.1부터 그다지 변하지 않은 것 같지만, 그럼에도 조금씩 변하면서 나아가고 있습니다. 앞으로도 레벨이 1씩 올라가는 듯한, 조금씩이지만 확실히 성장해가는 시리즈가 되면 좋겠다고 생각합니다. 앞으로도 잘 부탁합니다.

7권까지 왔으니 이제 와서라고 생각합니다만, 아무튼 진지한 이야기였습니다.

그런데 변함없이 사담입니다만, 언제나 이야기하고 있는 『옛날에 게임 안에서 결혼했지만 여자랑 바람이 나서 이혼한 여자 캐릭터』에 대해서입니다.

당시 저는 여자 캐릭터랑 바람을 피웠다는 건, 실은 내용물이 남자인 거 아닐까? 라는 의문을 품어서 그 바람 상대가 마을에서 채팅을 치고 있는 모습을 지켜본 적이 있었습니다.

아무리 봐도 내용물이 남자라는 걸 숨긴 게 아닌, 그냥 여자 캐릭터의 채팅이었습니다.

그냥 바람이었습니다.

더더욱 괴로웠다는 것을 보고 드립니다.

**길드 채팅 끄겠습니다.**

채팅을 빠져나왔으니 감사와 고마움을.

일러스트의 Hisasi 씨. 언제나 캐릭터들을 귀엽게 그려주셔서 정말로 감사드립니다. 집필할 때 마음의 버팀목으로 삼고 있습니다.

언제나 신세를 지고 있는 담당님. 매권 수고가 드는 책입니다만 저버리지 않고 어울려주셔서 감사합니다.

코믹스 제1권도 발매되었습니다. 코미컬라이즈를 그려주시는 이시가미 카즈이 씨. 언제나, 정말로 즐겁게 보고 있습니다. 감사합니다.

그리고 이 책을 지금까지 읽어주신 여러분. 정말로 감사드립니다.

또 만나 뵐 수 있기를 고대하고 있겠습니다.

키네코 시바이였습니다.

## ■역자후기

안녕하세요. 불초 역자입니다.

이 후기를 쓰는 지금은 여전히 쌀쌀합니다만 슬슬 봄이 다가오고 있다는 것도 느껴지는 그런 계절입니다. 이럴 때 운동을 해야 하는데 워낙 게을러서 큰일이에요. 운동해야지, 해야지 생각은 계속 하는데도 정작 실행에 옮기지는 않고 있는지라…… 이 생각도 대체 몇 번 하는 건지 모를 지경입니다. 게으른 나에게 결단력을!

그건 그렇고, 이번 이야기의 중심은 고양이공주 씨였는데요. 뭐, 중심이라고는 해도 그냥 사건의 발단이라고나 할까, 여전히 대접은 그리 좋아 보이지 않습니다만 그래도 선생님으로서 멋진 모습을 많이 보여줘서 좋네요. 개인적으로 좋아하는 캐릭터인지라 좀 더 비중이 있었으면 하는 바람이 있습니다. 이런 선생님 또 없지 않습니까. 온라인 게임부 애들은 선생님 진짜 잘 만났죠. 선생님의 대우에는 개선이 필요합니다. 정말로.

그밖에는 온라인 게임 친구 사이의 선긋기라는 조금은 진지한 테마가 나왔습니다. 확실히 온라인에서 만난 친구끼리는 설사 오프라인에서 어울린다고 해도 약간 거리가 있는 법입니다. 본명조차 모르는 경우가 부지기수니 어지간하면 이름이 아니라 닉네임으로 부르고요. 그것도 하나의 인간관계라고 생각하고, 작중에서 등장인물들이 그 보이지 않는 간격을 넘어 한 걸음 내딛는 전개가 그려지긴 했습니다만 이게 꼭 정답은 아닐지도 모릅니다. 인간관계란 복잡하니까요. 온라인이건, 오프라인이건. 저도 오프라인에서 가끔 만나는 온라인 친구가 있는데, 그런 관계에 대해 조금은 생각해보는 기회가 되지 않았나 싶습니다.

그럼 후기는 이쯤하고, 다음 권에서 뵙겠습니다.

아코 : 모르더라도 그냥저냥 플레이는 할 수 있는 학습 코너 제5회입니다!

루시안 : 알고 있는 편이 더 즐길 수 있을 거라 생각하는데.

아코 : 모르더라도 즐거워요!

## 『사정거리』

아코 : 얼마만큼 떨어진 사람까지 힐이 닿는가, 와 같은 의미죠?

루시안 : 아코에게는 그렇지. 이 게임에서는 모든 것에 사정거리라는 개념이 있어. 공격이, 회복이 어디까지 닿는지 정해져 있는 거야.

아코 : 구체적으로 어느 정도까지인가요?

루시안 : 마법 사정거리는 20미터 정도야.

아코 : 너, 너무 구체적이라 반대로 모르겠는데요! 게임 속에서 미터라고 말해도 몰라요!

루시안 : 응, 캐릭터의 신장을 보고 대충 추측할 수밖에 없어. 구체적인 사정거리는 몸으로 익히는 거야.

아코 : 우우, 그런 건 서툴러요.

루시안 : 예를 들어 광범위 공격마법이라면 사정거리가 20미터고, 그곳을 중심으로 반경 5미터의 원형에 공격이 퍼져. 그러니까 로우 위저드의 최대 사정거리는 25미터가 되는 거지.

아코 : 네에.

루시안 : 그리고 소드 댄서의 돌격스킬은 10미터의 직선돌진, 플래시 링크가 5미터의 단거리 텔레포트, 즉, 순간적인 이동거리는 15미터밖에 되지 않아.

아코 : 저기? 루시안?

루시안 : 콤보를 써서 몰아붙이기 위해서는 밀착할 필요가 있지만, 그 사정거리 차이는 통상마법이면 5미터, 광역 마법의 최대 사정거리라면 10미터야. 그 거리를 둘러싼 밀고 당기기가 PvP에서 뜨거운 볼거리가 되는 건데…….

아코 : 이, 이 이야기는 여기까지 해두죠! 네!

## 『결혼』

루시안 : 이러니저러니 해도 게임의 결혼 시스템에 대해서는 아직 설명하지 않았었지. 어어, 무슨 시스템이냐 하면…….

## To be continued?

아코 : 레전더리 에이지에서의 결혼 시스템이란!

루시안 : 우왓?!

아코 : 첫 번째로, 결혼한 두 사람의 스테이터스 란에 항상 결혼상대의 이름이 표시돼요!

루시안 : 으, 응. 내 스탯에도 아코의 이름이 들어가 있어.

아코 : 다음으로 보너스에요! 함께 파티에 들어가면 미량이지만 스테이터스, 경험치 보너스가 들어와요!

루시안 : 그걸 목적으로 결혼하는 사람도 있지.

아코 : 그리고 특수 스킬! 사랑하는 두 사람은 일심동체! 어디에 있더라도 결혼상대를 소환할 수 있어요!

루시안 : 거부 불능, 문답무용의 강제소환 스킬이야. 함부로 쓰면 파티 붕괴 같은 여러 문제가 일어나니까, 신뢰할 수 있는 사람 말고는 결혼을 하지 않지.

아코 : 사용은 채팅란에 지정 문자를 치는 것뿐. 그래요, 『루시안! 사랑해요!』라고 치면!

루시안 : 그러니까 엉뚱한 타이밍에 나를 소환하지 말라고! 돌아가는 게 고생이란 말이야!

아코 : 그밖에도 결혼에는 여러 특전이 있는데…….

루시안 : 이번에는 여기까지! 나머지는 다음 시간에!

아코 : 좀 더 결혼 이야기를—!

온라인 게임의 신부는 여자아이가 아니라고 생각한 거야? 7

1판 1쇄 발행 2016년 5월 10일
1판 2쇄 발행 2017년 5월 12일

**지은이**_ Kineko Shibai
**일러스트**_ Hisasi
**옮긴이**_ 이경인
**일본판 오리지널 디자인**_ AFTERGROW

**발행인**_ 신현호
**편집부장**_ 김은주
**편집진행**_ 최은진 · 김기준 · 김승신 · 원현선 · 김솔함
**편집디자인**_ 양우연
**국제업무**_ 정아라 · 고금비
**관리 · 영업**_ 김민원 · 이주형 · 조인희

**펴낸곳**_ (주)디앤씨미디어
**등록**_ 2002년 4월 25일 제20-260호
**주소**_ 서울시 구로구 디지털로 26길 111 JnK디지털타워 503호
**전화**_ 02-333-2513(대표)
**팩시밀리**_ 02-333-2514
**이메일**_ lnovelpiya@naver.com
**L노벨 공식 카페**_ http://cafe.naver.com/lnovel11

원제 netoge no yome wa onnanoko zya nai to omotta?


ISBN 979-11-5981-045-9 04830
ISBN 978-89-267-9843-0 (세트)

**값 6,800원**

L NOVEL

## 진화의 열매 1권

미쿠 지음 | U35(우미코) 일러스트 | 송재희 옮김

어느 날, 히이라기 세이이치가 다니는 고등학교가 학교째 이세계로 이동했다.
돼지&못난이인 세이이치는 반에서 따돌림을 받아 혼자 숲을 헤맨다.
클레버 몽키가 가지고 있던 『진화의 열매』를 먹어 허기를 달래지만
스테이터스 중 《운》이 제로인 세이이치는 카이저콩 사리아의 습격을 받는다.
그러나…….
"나, 처음. 그러니, 부드럽게 부탁해?"
어째선지 사리아에게 구혼 받았다아아?!

**『소설가가 되자』 연재작, 대인기 애니멀 판타지!**

라이트노벨의 새로운 빛! L노벨의 신간은 매월 10일에 발매됩니다. http://cafe.naver.com/lnovel11